# Competencia gramatical
# en *USO*

## A2

Carlos Romero Dueñas
Alfredo González Hermoso
Aurora Cervera Vélez

## edelsa
GRUPO DIDASCALIA, S.A.
Plaza Ciudad de Salta, 3 - 28043 MADRID - (ESPAÑA)
TEL.: (34) 914.165.511 - (34) 915.106.710
FAX: (34) 914.165.411
e-mail: edelsa@edelsa.es
www.edelsa.es

**Competencia gramatical en uso** offers a Spanish grammar based on the considerations of the *Common European Framework* (CEF) and on the *Reference Level Descriptions for Spanish*.

According to the CEF, grammatical competence "may be defined as knowledge of, and ability to use, the grammatical resources of a language." This explains why these two components have been fully integrated in **Competencia grammatical en uso**.

The book series presents the students an accessible, well-organized, and rigorous approach to the Spanish grammatical forms, which are put into contexts of everyday conversation as much as possible.

The series is divided into 4 books (A1, A2, B1, B2) to match the first four levels introduced by the CEF and described by the RLD.

**Unit structure:**
- Presentation of the structures in a microdialogue with an illustration and recorded on the CD.
- Explanations putting emphasis on form as well as on use of the structures.
- Progressive exercises: work on form, then on use, and eventually based on authentic or semi-authentic materials.
- Listening of a final microdialogue resuming the structures studied in the unit.

The book also contains:
- 2 appendixes which present:
  - The contrast between the uses of the present perfect and the indefinite past.
  - The contrast between the uses of the present perfect and the past imperfect.

- 1 level A2 self-assessment test.

**Competencia grammatical en uso** can be used in class as much as a support to autonomous learning. There is a separate answer key for individual use and self-study.

*The authors.*

# Contents

| Unit | Components | Form | Use | Page |
|------|-----------|------|-----|------|
| 1 | Articles. | Definite and indefinite articles. | Expressing existence. | 4 |
| 2 | Nouns and adjectives. | Gender of nouns and adjectives. Special case with number. | Classifying and describing people, animals and things. | 8 |
| 3 | Present indicative: irregular verbs I | Conjugation of the present indicative: e>ie, o>ue, e>i. | Providing general current information, talking about habitual actions or events and talking about the future. | 12 |
| 4 | Present indicative: irregular verbs II. | Conjugation of the present indicative of the verbs with the 1st person singular ending in –go and verbs with their own irregularities. | Verbs hacer, tener, ir. | 16 |
| 5 | Ser and estar. | Conjugation of the verbs ser and estar. | Identifying, describing, defining and locating in time and space. | 22 |
| 6 | Possessives. | Possessives adjectives and pronouns. | Expressing possession or ownership. | 26 |
| 7 | Comparatives. | Más que, menos que, tan(to) como. | Making comparisons. | 30 |
| 8 | Superlatives. | Formation of the superlative ending in –ísimo, muy and el más /menos. | Emphasising a quality. | 34 |
| 9 | Indefinite pronouns and adjectives. | Alguien, algo, alguno, todo, otro, nadie, nada, ninguno... | Referring to people or things generally rather than specifically. | 38 |
| 10 | Personal pronouns: direct and indirect object forms. | Me, te , se, lo, la, nos, os, les, los, las, se. | Avoiding repetition of direct and indirect objects. | 42 |
| 11 | Prepositional phrases of place. | Cerca de, lejos de, al lado de... | Locating people and things. | 46 |
| 12 | Adverbs of manner. | Adverbs ending in –mente. | Indicating the way in which the verb's action takes place. | 50 |
| 13 | Adverbs of quantity. | Mucho, muy, poco, bastante, suficiente, demasiado. | Expressing intensity or quantity. | 54 |
| 14 | Estar + gerund. | The gerund. | Expressing actions in progress. | 58 |
| 15 | Ir a... and acabar de... | Ir a + infinitive. Acabar de + infinitive. | Expressing future actions and actions that have just happened. | 62 |
| 16 | Expressions of obligation, prohibition and possibility. | Tener que, hay que, poder and deber + infinitive. | Expressing obligation, prohibition, necessity, possibility or permission. | 66 |
| 17 | Expressions with empezar, volver and seguir. | Empezar a, volver a + infinitive and seguir + gerund. | Expressing the beginning, repetition or continuation of an action. | 70 |
| 18 | Conjunctions. | Y, e, o, u, pero. | Relating elements and clauses. | 74 |
| 19 | Verbs of feelings and emotions. | Gustar, parecer, molestar, interesar... | Expressing likes and feelings. | 78 |
| 20 | Indefinite past. | Regular and irregular verbs. | Talking about past events and appraising them. | 82 |
| 21 | Present perfect. | Verb haber + participle. | Talking about past events which are related to the present. | 86 |
| 22 | Adverbs of time. | Time adverbs and frequency adverbials. | Indicating when an event takes place and how often. | 90 |
| 23 | Past imperfect. | Regular and irregular verbs. | Describing past events and talking about past habitual events. | 94 |
| 24 | Imperative. | Regular and irregular verbs. | Giving instructions, advice, orders. | 98 |
| 25 | Noun clauses. | Decir, creer, preguntar... + que/si + indicative. | Expressing an opinion and reporting somebody else's words. | 102 |
| 26 | Relatives clauses. | Relative pronouns que and donde. | Joining clauses providing information about something or somebody or a place. | 106 |
| 27 | Time clauses. | Antes de and después de + infinitive. Desde que + indicative and desde hace + period of time. | Indicating the moment when an event takes place. | 110 |
| 28 | Reason, purpose and result clauses. | Porque, por qué and es que + indicative. Para + infinitiv. Así que + indicative. | Expressing reason, purpose and the result of an action. | 114 |

## Appendixes

| 1 | Contrast between the uses of the present perfect and the indefinite past | 118 |
|---|---|---|
| 2 | Contrast between the uses of the present perfect and the past imperfect. | 122 |
| | Self-assessment in grammatical competence, level A2. | 126 |

**Components:**

# Articles

| FORM | USE |
|------|-----|
| Definite and indefinite articles. | Expressing existence. |

Look also at unit 4, level A1

¿Tienes hijos?

Sí, tengo dos, **una** niña y **un** niño. **La** niña tiene ocho años y **el** niño seis.

## FORM

| | The definite article | | The indefinite article | |
|---|---|---|---|---|
| | **Singular** | **Plural** | **Singular** | **Plural** |
| **Masculine** | el | los | un | unos |
| **Femenine** | la | las | una | unas |

### Contraction of the article

| a + el | **al** | Te presento a el señor López<br>al |
|--------|--------|-------------------------------------|
| de + el | **del** | Es la secretaria de el director.<br>del |

**El / un** instead of **la / una** + feminine nouns beginning with a stressed **a-** or **ha-:** *el / un aula, el / un águila, el / un hada…* **But** *La primera aula, una buena hada…*

## USE

### Contrast between the definite and indefinite article:

| The definite article is used... | The indefinite article is used... |
|----------------------------------|-----------------------------------|
| **1.** When we talk about somebody or something we know.<br>*El director del colegio está reunido.* | **1.** When we talk about somebody or something for the first time.<br>*Tengo un amigo en clase de español.* |
| **2.** When we talk about somebody or something unique.<br>*El hijo de Sara está en Londres.* (Sara has one son) | **2.** When we talk about somebody or something as part of a group.<br>*Sara tiene un hijo en Londres.* (Sara has several sons) |
| **3.** With verbs *estar* and *gustar*.<br>*¿Dónde está el coche?*<br>*Me gusta el teatro.* | **3.** With the verb *haber*.<br>*Hay un coche rojo en la calle.* |
| **4.** Always after *todos / todas.*<br>*Tengo todos los libros de Vargas Llosa.* | **4.** With an approximate value.<br>*Tengo unos 100 libros.* |
| **5.** To generalise, when we refer to people, animals or things taken as a group.<br>*Los policías siempre encuentran a los ladrones.*<br>*El león es el rey de la selva.* | **5.** To generalise, when we talk about any person, animal or thing as an example of the whole group.<br>*Un perro es más cariñoso que un gato.* |
| **6.** With adjectives, when we know what we are talking about, i.e., the choices are limited.<br>● *¿Me das la silla?*<br>■ *¿Cuál? ¿La pequeña?* | **6.** Without a noun, when we know what noun we are talking about.<br>● *Tengo dos hijos.*<br>■ *Pues yo solo tengo uno.* |

### We do not use articles:

**1.** In front of *señor / señora, doctor / doctora* (+ name) + surname, when speaking directly to the person in question.
*Encantado, señor Hernández.*
*Señora Aguirre, le llaman por teléfono.*

**2.** With names of people, continents and countries.
*Lucía vive en Italia.*

**3.** With the verb *ser* and the days of the week to say a full date.
*Hoy es martes, 13 de septiembre.*

**4.** With months of the year.
*En junio terminan las clases.*

**5.** With the verb *saber* + languages.
*Sabe inglés e italiano.*

**6.** When we name somebody's occupation, religion, nationality and ideology.
*Carlos es profesor. Ana es española.*
**Except:** when we add a quality or we identify:
*Carlos es un profesor estupendo.*
*Carmen es la secretaria de este departamento.*

**7.** With uncountable nouns.
*¿Queda aceite? ¿Compro pan?*
**Except:** con sentido identificador:
● *¿Tiene ya aceite la ensalada?*
■ *No. El aceite está ahí al lado del pan.*

**8.** With countable plural nouns, when we talk about a class of things, not one thing in particular.
*Aquí venden ordenadores.*
*Luis da clases en la universidad.*

# Exercises

## 1. Nouns gender.
Fill in the gaps with *el, la, los, las.*.

0. ...*el*... agua
1. ....... águilas
2. ....... aula
3. ....... almas
4. ....... aves
5. ....... abogada
6. ....... hambre
7. ....... alumna
8. ....... arte
9. ....... abuela

Right answers: ......... **out of 9**

## 2. Definite and indefinite articles (1)
Tick the right answer.

0. Me gusta ....... arte contemporáneo.  ☑ el  ☐ la
1. Necesitamos ....... última aula.  ☐ el  ☐ la
2. En los cuentos ....... hada siempre ayuda a la chica buena.  ☐ el  ☐ la
3. Busco ........ pequeña hacha.  ☐ un  ☐ una
4. Allí vemos ....... bonitas águilas.  ☐ unos  ☐ unas
5. El pájaro abre ....... alas.  ☐ los  ☐ las

Right answers: ......... **out of 5**

## 3. Contraction of the definite article.
Complete with *al* or *del*.

0. Voy ...*al*... cine el fin de semana.
1. El agua ....... mar no se puede beber.
2. Voy ....... colegio.
3. Hola, mamá. Vengo ....... colegio.
4. Brasil está ....... sur del continente americano.
5. Vive cerca ....... centro de la ciudad.

Right answers: ......... **out of 5**

## 4. Using the definite article.
Complete with *el, la, los, las*.

0. El restaurante está en ...*la*... esquina de la calle Fuentes.
1. El tren sale a ....... diez de la mañana.
2. Me lavo ....... dientes cada mañana.
3. Me encantan ....... cuadros de Miró.
4. Me gusta nadar en ....... agua muy fría.
5. Mi hijo se pasa ....... días sin hacer nada.

Right answers: ......... **out of 5**

## 5. Definite and indefinite article (2)
Choose the correct answer.

0. Está viendo **una** / **la** película de miedo.
1. Estudia en **la** / **una** Universidad Complutense de Madrid.
2. María es **la** / **una** madre de mi novio.
3. Las maletas están en **el** / **un** coche.
4. Quiere tener **el** / **un** hijo.
5. Me gustan **las** / **unas** canciones populares.
6. En la puerta hay **un** / **el** coche deportivo.
7. Quiero hablar con **el** / **un** presidente de esta empresa.
8. Isabel Coixet es **la** / **una** directora de esta película.

Right answers: ......... | out of

## 6. Article review quiz.
Tick the correct answer.

| | | | |
|---|---|---|---|
| 0. Hoy vamos a visitar ......... Museo del Prado. | ☑ el | ☐ un | ☐ Ø |
| 1. Trabaja en ......... clínica Doce de Octubre. | ☐ la | ☐ una | ☐ Ø |
| 2. Estoy leyendo ......... novela muy interesante. | ☐ la | ☐ una | ☐ Ø |
| 3. Raimundo es ......... diplomático. Trabaja en ......... Embajada de España en Uruguay. | ☐ el / una | ☐ Ø / la | ☐ Ø / una |
| 4. Quito es ......... capital de Ecuador. | ☐ la | ☐ una | ☐ Ø |
| 5. ¿Aquí venden ......... gafas de sol? | ☐ las | ☐ unas | ☐ Ø |
| 6. Buenos días, ......... señora Sánchez. | ☐ la | ☐ una | ☐ Ø |
| 7. Me gusta ......... fútbol. | ☐ el | ☐ un | ☐ Ø |
| 8. Vamos a comprar ......... ordenador portátil. | ☐ el | ☐ un | ☐ Ø |
| 9. ......... marido de Yolanda es extranjero. | ☐ El | ☐ Un | ☐ Ø |
| 10. Mi padre colecciona ......... monedas antiguas. | ☐ las | ☐ unas | ☐ Ø |
| 11. ......... ballenas están en peligro de extinción. | ☐ Las | ☐ Unas | ☐ Ø |

Right answers: ......... | out o

## 7. Articles in everyday conversations.
Fill in the gaps with articles if necessary.

0. ○ ¿Quién es ..*el*.. profesor de esta clase?
   ● Es Pedro. Es ..*un*.. profesor magnífico.
1. ○ ¿Todos ....... alumnos son franceses?
   ● Casi ....... todos.
2. ○ ¿Dónde trabaja tu hermano?
   ● En ....... restaurante. Es ....... camarero.
3. ○ ¿Conoces a ....... señora Alonso?
   ● Sí, es ....... nueva gerente.
4. ○ ¿Todas ...... mañanas sales a correr?
   ● Sí. Todos ....... días corro ....... diez kilómetros aproximadamente.
5. ○ ¿En esta librería venden ....... libros antiguos?
   ● Sí. Somos especialistas en ....... libros del s. XIX.

Right answers: ......... | out o

### 8. Kid's questions.
Choose the correct form.

0. ○ ¿Qué es **el / un** móvil?
   ● Es un teléfono de bolsillo.

1. ○ ¿Qué comemos hoy?
   ● No sé. ¿Quieres **la / una** ensalada?

2. ○ ¿Puedo jugar con **el / un** ordenador?
   ● No. Tienes que estudiar.

3. ○ Tengo **las / unas** manos frías. ¿Dónde están **los / unos** guantes?
   ● No lo sé.

4. ○ ¿Compramos un televisor de esa marca?
   ● Mira, **los / unos** televisores son todos iguales.

5. ○ ¿**Los / Unos** médicos ganan mucho dinero?
   ● Todos no.

6. ○ ¿Abro ya **los / unos** ojos?
   ● No, todavía no.

7. ○ ¿Me compras **el / un** helado?
   ● No, hace mucho frío.

Right answers: ......... **out of 8**

### 9. SMS text messages.
Complete the sentences with articles if necessary.

No puedo ir a ..la.. reunión. Tengo ...1... problema. Luego te explico.

Hay ...2... cambio. ...3... examen es en ...4... aula 12. ¿Dónde estás?

Antes de venir a casa, ¿puedes comprar ...5... periódico y ...6... par de revistas?

Ya estamos en ...7... cine Rex, en ...8... calle Alcalá, pero no quedan ...9... entradas. ¿Qué hacemos?

No puedo ir a ...10... ópera, no tengo ...11... dinero. Os espero a ...12... salida.

Right answers: ......... **out of 12**

**I AM ALL EARS.** Listen to the dialogue.

■ ¿Vives con tus padres?
● No. Vivo con **unos** amigos en **un** piso. **El** piso está muy cerca de aquí.
■ Yo también vivo en **un** piso de estudiantes. Somos cinco. **Un** alemán, **una** polaca, dos italianas y yo. **El** alemán ya trabaja. **Los** demás todavía estudiamos.

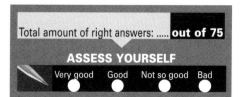

Total amount of right answers: ..... **out of 75**

**ASSESS YOURSELF**

Very good   Good   Not so good   Bad

Components:
# Nouns and adjectives

**2**

Look also at units 1 and 2, level A1

3

| FORM | USE |
|---|---|
| Gender of nouns and adjectives. Special cases with number. | Classifying and describing people, animals and things. |

Este **libro** es muy **interesante**.

Sí, es un **libro** de **relatos policíacos**.

¿Ah, sí?

A mí me gustan más las **novelas románticas**.

## FORM

### General rule for nouns:

Nouns ending in –*o* are masculine and those ending in –*a* are feminine.
*El herman**o** - La herman**a**     El perr**o** - La perr**a***
Except: *la mano, la radio, la moto, la foto, el día, el mapa.*

The plural form of nouns takes a final –*s*.
*El hermano - Los hermano**s**     La silla - Las silla**s***

### General rule for adjectives:

Adjectives agree in gender and number with the noun they go with. They end in –*o* with masculine nouns and in –*a* with feminine ones. For the plural they take an –*s*.

## USE

### The gender of nouns:

**Nouns with the endings below are masculine.**

**1.** -*í* and -*ú*.
   *el jabalí    el bambú*

**2.** -*ema*.
   *el tema, el problema*
   Except: *la crema*

**3.** -*or*.
   *el director, el ascensor, el dolor*
   Except: *la flor.*

**Nouns with the endings below are feminine.**

**1.** -*triz*.
   *la actriz, la cicatriz*

**2.** -*dad* and -*tad*.
   *la ciudad, la libertad*

**3.** -*umbre* and -*ez*.
   *la actitud, la costumbre, la vejez*

**4.** -*ción*, -*sión* and -*zón*.
   *la información, la televisión, la razón*
   Except: *el corazón and el buzón*

**Notes:**
There are some nouns of people and animals which have a different ending for the masculine and the feminine:
*el príncipe - la princesa    el actor - la actriz*
*el gallo - la gallina*
Nouns ending in –*ista* are masculine or feminine depending on the sex of the person.
*el periodista - la periodista*
*el pianista - la pianista*

### The gender of adjectives:

**1.** Those ending in –*o* form their feminine in –*a*.
   *guapo - guapa    limpio - limpia*
**2.** Those ending in –*or* add an –*a*.
   *trabajador - trabajadora    encantador - encantadora*
**3.** Those ending in another vowel or consonant do not change.
   *belga, importante, marroquí, hindú, útil*
   Except: the adjectives of nationality ending in –*l*, -*n* or in –*s*, which add an –*a*.
   *español - española    francés - francesa*

### The number of adjectives:

**1.** The adjectives ending in a vowel form their plural by adding an –*s: interesante – interesantes, simpá-tico – simpáticos.*
   Except: The adjectives of nationality ending in -*í* or –*ú*, which form their plural by adding –*es*.
   *marroquí - marroquíes    hindú - hindúes*
**2.** The adjectives ending in a consonant form their plural taking –*es*.
   *encantador - encantadores    especial - especiales*
**3.** The adjectives ending in –*z* form their plural by adding –*ces*.    *feliz - felices*

**Notes:** If the adjective refers to several nouns and one of them is masculine, the plural is usually in the masculine form.

### The number of nouns:

**1.** Nouns ending in –*s* with more than one syllable de not change in the plural.    *el viernes - los viernes    el paraguas - los paraguas*
   Except: *el autobús - los autobuses*
**2.** Some nouns do not have a plural.
   *el norte, el sur, la sed, el hambre, la salud*
**3.** Some nouns are always used in the plural.
   *las gafas, las tijeras, los prismáticos*

# Exercises

## 1. Masculine or feminine?
Put the words in the right column.

| Masculine | Femenine |
|-----------|----------|
| café | |
| | |
| | |
| | |
| | |
| | |
| | |
| | |
| | |
| | |

café    buzón    propina    color
espalda    día    lunes    flor
problema    sistema    iglú    verdad
salud    mapa    vejez    razón
bicicleta    calor    mano    foto

Right answers: ......... **out of 19**

## 2. Pural formation.
Write the plural form of the following nouns.

0. el mes ............ *los meses* ............
1. el martes ...................................
2. la razón ...................................
3. la sal ...................................
4. el paraguas ...................................
5. el autobús ...................................
6. el ascensor ...................................
7. la libertad ...................................
8. el iglú ...................................
9. la actriz ...................................
10. la flor ...................................

Right answers: ......... **out of 10**

## 3. My schoolmates.
Complete the adjectives.

0. Víctor es simpátic.o.. y extrovertid.o.. .
1. Victoria es tímid..... e individualist..... .
2. Rafael es estudios..... y responsabl..... .
3. Rafaela es inteligent..... y trabajador..... .
4. Pepe es mentiros.... y egoíst..... .
5. Pepa es cariños..... y sensibl..... .

Right answers: ......... **out of 10**

### 4. Noun-adjective agreement.

Complete the sentences with a noun and an adjective from the box. Put the adjective in its right gender and number.

0. El euro es una *moneda europea* .

1. Mi mujer tiene los ............................ .

2. Las ........................... de este hotel son muy ........................... .

3. Los tacos son un ........................... .

4. La señora Smith es una ........................... muy ........................... .

5. Cuzco y Lima son dos ........................... .

6. Antonio Banderas y Penélope Cruz son ........................... .

| | |
|---|---|
| actores | azul |
| camas | español |
| ciudades | europeo |
| moneda | mexicano |
| mujer | incómodo |
| ojos | peruano |
| plato | trabajador |

Right answers: ......... out of

### 5. Christmas presents.

Write the indefinite article and complete the adjectives.

0. Para mi mujer, ....*un*.... pañuelo roj..*o*. de seda y ..*unos*.. zapatos negr.*os* .

1. Para mi hermano, ............ disco de música clásic..... y ............ corbata modern...... .

2. Para mi hermana, ............ perfume fresc..... y ............ novela interesant..... .

3. Para mis padres, ............ televisión pequeñ..... .

4. Para Jaimito, ............ juguete didáctic..... .

5. Para Juanito, ............ bicicleta grand..... y liger..... .

6. Para la abuela, ............ chaqueta gris..... .

7. Para el abuelo, ............ jersey naranj..... .

Right answers: ......... out of

### 6. At the restaurant.

Underline the correct options.

0. **El / La** decoración es **moderna / moderno**, pero muy **lujoso / lujosa**.

1. Tienen **un / una** salón **pequeño / pequeña** y muy **íntimo / íntima**.

2. La paella y el gazpacho están **deliciosos / deliciosas**. Tienes que probarlos.

3. **Los / Las** postres son **caros / caras**, pero **exquisitos / exquisitas**.

4. El dueño y la cocinera son **chilenos / chilenas**.

5. Los camareros y las camareras son muy **simpáticos / simpáticas**.

6. La sopa de pescado y la ensalada de arroz están **buenísimos / buenísimas**.

Right answers: ......... out of

**7. A little humour. Famous quotes by "les Luthiers".**
Write the articles and complete the nouns and adjectives.

0. Todo tiemp..o.. pasad..o.. fue anterior..o.. .
1. ........... honest....., desgraciadamente, son inadaptad..... social..... .
2. Tener ........... concienci..... limpi..... es síntoma de mal..... memori..... .
3. Hay ........... mund..... mejor, pero es carísim..... .
4. ........... verdad absolut..... no existe y esto es absolutamente ciert..... .

Right answers: ........ **out of 15**

**8. Apartments for sale.**
Complete the adjectives.

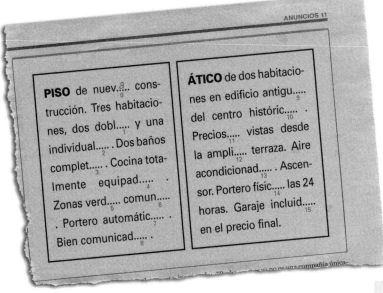

ANUNCIOS 11

**PISO** de nuev.a.. construcción. Tres habitaciones, dos dobl..... y una individual..... . Dos baños complet..... . Cocina totalmente equipad..... . Zonas verd..... comun..... . Portero automátic..... . Bien comunicad..... .

**ÁTICO** de dos habitaciones en edificio antigu..... del centro históric..... . Precios..... vistas desde la ampli..... terraza. Aire acondicionad..... . Ascensor. Portero físic..... las 24 horas. Garaje incluid..... en el precio final.

Right answers: ........ **out of 15**

**I AM ALL EARS.** Listen to the dialogue.

■ A ti te gusta Ricardo, ¿verdad?
● Sí, mucho. Es **alto** y muy **guapo**. ¿A ti no?
■ Claro. Además es muy **simpático**, **inteligente** y **encantador**.
● ¡Hija! Sí que te gusta, sí.
■ Bueno, pero sobre todo me encanta su **nueva moto japonesa**.

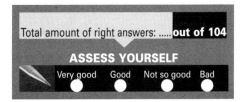

Total amount of right answers: ..... **out of 104**

**ASSESS YOURSELF**

| Very good | Good | Not so good | Bad |

# Components:
# Present indicative : irregular verbs I

**3**

Look also at unit 8, level A1

| FORM | USE |
|---|---|
| Conjugation of the present indicative: **e>ie, o>ue, e>i**. | Providing general current information, talking about habitual actions or events and talking about the future. |

El próximo lunes **pienso** ir con mis alumnos al Museo de América.

¿El lunes? Los lunes **cierran** los museos.

Bueno, pues voy el martes.

## FORM

| Subject | E > IE | | | O > UE | | | E > I | U > UE |
|---|---|---|---|---|---|---|---|---|
| | **pensar** | **querer** | **sentir** | **contar** | **poder** | **dormir** | **pedir** | **jugar** |
| yo | pienso | quiero | siento | cuento | puedo | duermo | pido | juego |
| tú | piensas | quieres | sientes | cuentas | puedes | duermes | pides | juegas |
| él, ella, usted | piensa | quiere | siente | cuenta | puede | duerme | pide | juega |
| nosotros, nosotras | pensamos | queremos | sentimos | contamos | podemos | dormimos | pedimos | jugamos |
| vosotros, vosotras | pensáis | queréis | sentís | contáis | podéis | dormís | pedís | jugáis |
| ellos, ellas, ustedes | piensan | quieren | sienten | cuentan | pueden | duermen | piden | juegan |

**With the same conjugation:**
- **-ar:** calentar, cerrar, manifestar, merendar, pensar, recomendar, sentar, etc.
- **-er:** defender, encender, entender, perder, querer, etc.
- **-ir:** divertir, mentir, preferir, sentir, sugerir, etc.

**With the same conjugation:**
- **-ar:** acordar, acostarse, aprobar, comprobar, costar, demostrar, encontrar, mostrar, probar, recordar, soñar, volar, etc.
- **-er:** doler, envolver, llover, morder, mover, soler, volver, etc.
- **-ir:** morir.

**Peculiarity of the verb *oler*:**
huelo, hueles, huele, olemos, oléis, huelen.

**The following are conjugated like *pedir*:**
conseguir, despedir, elegir, freír, reír, repetir, seguir, servir, vestir.

## USE

**We use the present to:**

**1.** Request or provide general current information.
*Hoy empiezan las vacaciones.*
*Me duele mucho la cabeza.*

**2.** Express habitual or frequent events.
*Normalmente me acuesto a las doce de la noche.*
*Jugamos al fútbol todos los jueves.*

**3.** Express future events.
*Mañana juego al tenis con una amiga.*
*La próxima semana cierran el museo.*

**4.** Give instructions and orders.
*Ya es hora de dormir. Te acuestas y te duermes ya.*

**5.** Express universal truths.
*Pienso, luego existo.*

# Exercises

## 1. *E>IE* stem-changing verbs.
Complete the chart.

|  | cerrar | calentar | perder | entender | mentir | divertirse |
|---|---|---|---|---|---|---|
| yo |  |  |  |  |  |  |
| tú |  |  | *pierdes* |  |  |  |
| él, ella, usted |  |  |  |  |  |  |
| nosotros, nosotras | *cerramos* |  |  |  |  |  |
| vosotros, vosotras |  |  |  |  |  |  |
| ellos, ellas, ustedes |  |  |  |  | *mienten* |  |

Right answers: ......... out of 33

## 2. *E* or *IE* ?
Fill in the blanks.

0. Qu..*ie*.ro llegar pronto a casa.
1. ¿P......nsas venir este verano?
2. ¿Compr......ndes el problema?
3. ¿Ent......ndes la pregunta?
4. C......rro la puerta al salir.
5. ¿Emp......zamos a hablar del tema?
6. M......nte muchas veces.
7. P......rdes tiempo con esos juegos.
8. Te recom......ndo esta película.
9. Pref......ren ir en coche.
10. Se div......rte con sus compañeros.

Right answers: ......... out of 10

## 3. Conjugation.
Put the verb in its correct present indicative form.

0. (Defender - tú) ....*Defiendes*... la verdad.
1. (Entender - nosotros) ...................... el problema de matemáticas.
2. (Despertarse - yo) ...................... a las siete de la mañana.
3. (Preferir - ella) ...................... salir los jueves por la noche.
4. El sol (calentar) ...................... esta tarde.
5. ¿(Cerrar - nosotros) ...................... la puerta?

Right answers: ......... out of 5

## 4. *O>UE* stem-changing verbs.
Complete the chart.

|  | probar | encontrar | volver | mover | morir |
|---|---|---|---|---|---|
| yo |  |  |  |  |  |
| tú |  |  | *vuelves* |  |  |
| él, ella, usted |  |  |  |  |  |
| nosotros, nosotras | *probamos* |  |  |  |  |
| vosotros, vosotras |  |  |  |  |  |
| ellos, ellas, ustedes |  |  |  |  | *mueren* |

Right answers: ......... out of 27

**5.** *O* or *UE* ?

Fill in the blanks.

0. ¿Rec.*ue*.rdas a Juan?

1. Me enc......ntro en plena forma.

2. Res......lvo el problema.

3. M......vemos los brazos.

4. S......ñamos con las vacaciones.

5. Siempre me ac......sto muy tarde.

6. C......sta mucho dinero.

7. V......lvemos enseguida.

8. D......rmís demasiado.

9. En primavera ll......ve mucho.

10. Este perfume h......le muy bien.

Right answers: ......... out of

**6. The "*yo*" form.**

Put the verbs in the first person singular.

0. ¿Probamos esta nueva bebida? ........*¿Pruebo esta nueva bebida?*........

1. Encontramos la solución a la crisis. ...................................................

2. Solemos pasear por el parque. ...................................................

3. Volvemos a casa. ...................................................

4. Movemos los paquetes. ...................................................

5. Nos acostamos muy pronto. ...................................................

Right answers: ......... out of

**7. Nouns and verbs.**

Find the infinitive form of the verbs from the given nouns.

0. Un encuentro con los amigos. ......*encontrar*......

1. Los sueños de la gente. .......................

2. La vuelta al colegio. .......................

3. El vuelo del avión. .......................

4. Un cuento para los niños. .......................

5. Una prueba. .......................

Right answers: ......... out of

**8. *E>I* stem-changing verbs.**

Look at the chart and complete the missing forms.

| | repetir | impedir | sonreír |
|---|---|---|---|
| yo | | | |
| tú | | *impides* | |
| él, ella, usted | | | |
| nosotros, nosotras | *repetimos* | | |
| vosotros, vosotras | | | |
| ellos, ellas, ustedes | | | *sonríen* |

Right answers: ......... out of

**9. *E* or *I* ?**

Fill in the gaps.

0. P...*e*.dimos un café.

1. Me desp......do de ellos.

2. Se v......ste con ropa de verano.

3. Corr......gimos los exámenes.

4. Nos r......ímos mucho con ellos.

5. El......gimos los regalos.

6. Rep......timos el ejercicio.

7. Me sonr......e cuando lo veo.

8. S......rven la comida y la bebida.

9. S......guimos con las mismas ideas.

Right answers: ......... out of

## 10. Personal questions.
Answer the questions as in the example.

0. ● ¿Cuánto mides?    ○ ...*Mido*... 1 metro 75.
1. ● ¿Qué nivel de español sigues?    ○ ............. el segundo nivel.
2. ● ¿Cuándo te despides de nosotros?    ○ Me ............. mañana.
3. ● ¿Repites curso este año?    ○ Sí, otra vez ............. curso.
4. ● ¿A quién sonríe esa persona?    ○ Me ............. a mí.
5. ● ¿Por qué te ríes?    ○ Me ............. porque es divertido.

Right answers: ........ **out of 5**

## 11. The verb *jugar*.
Fill in the gaps.

0. Los fines de semana j.*ue*.go al tenis.
1. Los españoles j......gan mucho a la lotería.
2. J......gamos al fútbol con el equipo del barrio.
3. ¿A qué hora j......gáis vosotros esta tarde?
4. Pepe j......ga siempre con el mismo equipo de balonmano.
5. ¿Por qué no te vienes con nosotros y j......gas a las cartas?
6. Andrés y Marta j......gan mucho al tenis.

Right answers: ........ **out of 6**

## 12. Some uses of the present.
Read the sentences and classify them according to their meaning.

0. Dos y dos son cuatro.
1. Si te duele la cabeza, te tomas una aspirina y ya está.
2. Bajas, por favor, a la panadería y compras el pan.
3. La Tierra es un planeta.
4. Normalmente duermo siete horas.
5. Este verano no tengo vacaciones.
6. Juego al tenis todos los sábados.
7. Mañana empiezan las clases.
8. ¿Estás aburrido? Entonces enciendes la tele o lees un libro.

| Habitual actions | Future actions | Instructions and orders | Universal truths |
|---|---|---|---|
|  |  |  | *Dos y dos son cuatro.* |
|  |  |  |  |

Right answers: ........ **out of 8**

**I AM ALL EARS.** Listen to the dialogue.

■ ¿Cuántas horas **duermes** al día?
● **Duermo** unas ocho horas.
■ Yo no **puedo** dormir tantas horas.
● ¿Por qué?
■ Normalmente tengo poco sueño y me **despierto** muy temprano.
● ¿Y entonces qué haces?
■ Me levanto y **juego** con el ordenador.

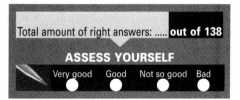

Total amount of right answers: ..... out of 138

**ASSESS YOURSELF**

Very good    Good    Not so good    Bad

Components:
# Present indicative: irregular verbs II

**4**

| FORM | USE |
|------|-----|
| Conjugation of the present indicative of the verbs with the 1$^{st}$ person singular ending in **-go** and verbs with their own irregularities. | Verbs *hacer, tener, ir.* |

¿Dónde **vas**?

**Voy** a clase. **Tengo** un examen.

¿**Vienes** con nosotros al cine después del examen?

No lo **sé**. Te lo **digo** luego.

## FORM

**General rule:** These are frequently used verbs, whose first person is irregular. The other forms are regular, except for the verbs *tener, venir, decir* and *oír*, which are only regular in the 1st and 2nd persons of the plural (*nosotros, vosotros*), and the verb *ir*, which is irregular in all the persons.

### Verbs with the 1st person singular ending in –go

| Subject | hacer | poner | salir | valer | traer | tener | venir |
|---------|-------|-------|-------|-------|-------|-------|-------|
| yo | ha**go** | pon**go** | sal**go** | val**go** | trai**go** | ten**go** | ven**go** |
| tú | haces | pones | sales | vales | traes | **tie**nes | **vie**nes |
| él, ella, usted | hace | pone | sale | vale | trae | **tie**ne | **vie**ne |
| nosotros, nosotras | hacemos | ponemos | salimos | valemos | traemos | tenemos | venimos |
| vosotros, vosotras | hacéis | ponéis | salís | valéis | traéis | tenéis | venís |
| ellos, ellas, ustedes | hacen | ponen | salen | valen | traen | **tie**nen | **vie**nen |

### Verbs with their own irregularities

| Subject | ir | dar | saber | ver | oír | decir |
|---------|-----|------|-------|------|------|-------|
| yo | **voy** | **doy** | **sé** | **veo** | **oigo** | **digo** |
| tú | **vas** | das | sabes | ves | **oyes** | dices |
| él, ella, usted | **va** | da | sabe | ve | **oye** | dice |
| nosotros, nosotras | **vamos** | damos | sabemos | vemos | oímos | decimos |
| vosotros, vosotras | **vais** | dais | sabéis | veis | oís | decís |
| ellos, ellas, ustedes | **van** | dan | saben | ven | **oyen** | dicen |

## USE

**We use the verb *hacer* to:**

1. Indicate action. *Los fines de semana **hago** muchas cosas: practico deporte, voy al cine, cocino...*
2. Describe the weather with *Hace + frío, calor, viento, sol, buen / mal tiempo*, etc. *Hoy **hace** mucho frío.*

**We use the verb *tener* to:**

1. Indicate possession. ***Tengo** una casa en la playa.*
2. Express feelings. ***Tengo** frío, hambre, sueño...*
3. Ask for something. *¿**Tienes** un bolígrafo, por favor?*

4. Ask and say somebody's age.
   - *¿Cuántos años **tienes**?*
   - ***Tengo** quince años.*
5. Describe people.
   *Tiene los ojos negros, el pelo corto y rizado...*

**We use the verb *ir* to:**

1. Indicate movement. ***Voy** a casa.*
2. Express a future event with *ir a + infinitive.* *Esta tarde **voy** a ver este DVD.*

# Exercises

## Present indicative: irregular verbs II

### 1. *–go* verbs.
Complete with the verbs in brackets.

0. ¿..*Pongo*.. la leche en la nevera (Poner - yo)?

1. Este televisor .............. mucho (valer), 2.000 euros.

2. .............. de casa cada día a las ocho (Salir - yo).

3. ¿.............. la compra del supermercado (Traer - vosotros)?

4. El fin de semana no .............. nada (hacer - ellas), se quedan en casa.

5. .............. que tienes razón (Suponer - yo).

6. Los alumnos .............. las cosas bien (hacer).

7. .............. el trabajo de clase a casa (Traer - nosotros).

Right answers: ......... **out of 7**

### 2. *Caer, hacer, poner, salir, traer* and *tener.*
Choose one of these verbs and complete the sentence.

0. ...*Salgo*.... cada tarde para tomar café (yo).

1. En el cine siempre me .............. en la última fila (yo).

2. .............. los deberes muy bien (tú).

3. .............. un ordenador muy bueno (yo).

4. Casi se .............. al suelo (ella).

5. .............. regalos para todos (yo).

Right answers: ......... **out of 5**

### 3. *Ponemos, pongo.*
Put the verbs in the singular.

0. Ponemos la tele. ............*Pongo la tele.*............

1. Nos distraemos en la fiesta. ....................................

2. Hacemos muchas cosas el fin de semana. ....................................

3. Salimos de paseo. ....................................

4. Traemos la comida de casa. ....................................

5. Ponemos la mesa para comer. ....................................

6. Suponemos que está con María. ....................................

Right answers: ......... **out of 6**

### 4. Weather in Europe.
Look at the maps and write true (T) or false (F) next to the sentences. If they are wrong, write the correct information.

0. En Londres hace más calor que en Madrid.    T  <u>F</u>    *En Londres hace más frío que en Madrid*
1. En Madrid hace viento.    T  F    ..............................................................
2. En Moscú hace más frío que en Londres.    T  F    ..............................................................
3. En Londres hace menos frío que en Madrid.    T  F    ..............................................................
4. En Madrid hace mal tiempo porque llueve.    T  F    ..............................................................
5. En Moscú hace sol.    T  F    ..............................................................

Right answers: ......... **out of**

## 5. Weather in Spain.
Read the text and match the two columns.

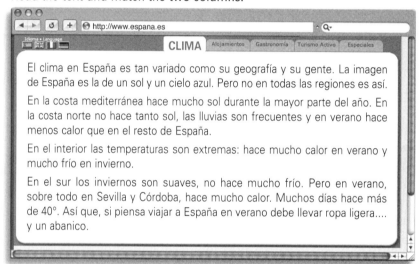

0. El clima de España es muy...
1. Casi todo el año, en la costa mediterránea...
2. En la costa norte...
3. Hace menos calor que en el resto de España...
4. En el interior...
5. En el sur...

a. hace mucho frío en invierno.
b. en la costa norte.
c. no hace mucho frío en invierno.
d. variado.
e. hace mucho sol.
f. llueve mucho.

Right answers: ......... **out of**

## 6. Irregular verbs.
Complete the answers.

0. • ¿Das clase de lengua hoy?    ○ Sí, .....*doy*..... clase todos los días.
1. • ¿Adónde vas de vacaciones en verano?    ○ Casi siempre ............... a la montaña.
2. • ¿Sabes nadar?    ○ Sí, pero no .............. nadar muy bien.
3. • ¿Cómo vas a clase?    ○ Normalmente ............... en autobús.
4. • ¿Vas con frecuencia al cine?    ○ Sí, ............... una vez a la semana.

5. ● ¿Ves muchas series en la tele?    ○ No, ............... muy pocas.
6. ● ¿Sabes muchos idiomas?    ○ Solo ............... dos idiomas.
7. ● ¿Qué película dan en el cine?    ○ ............... una película de aventuras.
8. ● ¿Vais con los amigos al cine?    ○ Sí, ............... los fines de semana.
9. ● ¿Vas a la ópera alguna vez?    ○ No, ............... muy poco.

Right answers: ......... **out of 9**

## 7. The verb in its appropriate form.
Complete the sentences with one of the verbs from the box.

0. Cuando no trabajo, ......*voy*..... a pasear al parque municipal.
1. Cuando tengo tiempo, por la noche, ............... la tele.
2. Mañana (yo) ............... de excursión con mis padres.
3. No ............... bien inglés, por eso lo estudio cada día.
4. En secretaría ............... los papeles para la matrícula.
5. Es su cumpleaños y ............... una fiesta en su casa.
6. Siempre (yo) ............... las cosas por el lado optimista.
7. Mis amigos ............... muchas tonterías.
8. Habla más alto, que yo no ............... bien.
9. Elsa y yo ............... aquí muchas veces para tomar café.
10. ¿............... hoy vosotras a cenar a mi casa?
11. ¿No ............... el teléfono (vosotras)?
12. Habla mucho, pero siempre ............... lo mismo.
13. Pilar no ............... que está enfermo el abuelo. ¿Se lo decimos?

| ir |
| dar |
| saber |
| ver |
| oír |
| venir |
| decir |

Right answers: ......... **out of 13**

## 8. *Nosotros* and *yo*.
Put the verbs in the first person singular.

0. Hacemos lo que es necesario.    *Hago lo que es necesario.*
1. Venimos para ver lo que deseas.    ...........................................
2. Decimos siempre la verdad.    ...........................................
3. Traemos muchas cosas.    ...........................................
4. Venimos a hablar de cine.    ...........................................
5. Tenemos un mensaje en el contestador.    ...........................................
6. Oímos la radio por la mañana.    ...........................................
7. Hacemos ejercicios de gramática.    ...........................................
8. ¿Ponemos las cosas aquí?    ...........................................
9. Salimos a cenar esta noche.    ...........................................
10. Oímos muchas cosas desagradables.    ...........................................

Right answers: ......... **out of 10**

### 9. The verb *tener*.

Match the columns.

0. ¿Tienes fuego?
1. ¿Vas en verano a la playa?
2. ¿Cuántos años tienes?
3. ¿Tienes hambre?
4. La profesora tiene los ojos verdes.
5. Tengo mucho frío.
6. ¿Tiene usted un momento?
7. Tu hijo es muy pequeño, ¿verdad?
8. ¿Cómo es tu novio?

a. No, son negros.
b. Sí, mucha.
c. No, no fumo.
d. No, estoy muy ocupado, lo siento.
e. Treinta y tres, ¿y tú?
f. ¿Por qué no te pones el abrigo?
g. No, tengo una casa en la montaña.
h. Tiene barba y bigote.
i. Sí, solo tiene dos años.

Right answers: ........ **out of**

### 10. Meeting on a chat.

Complete the dialogue with the verb *tener* and put the sentences in the right boxes.

Elena: Hola. ¿Cómo te llamas?

Jaime: Jaime. ¿Y tú?

Elena: Elena. ¿Cuántos años ..*tienes*..? (0)

Jaime: 22.

Elena: Yo ..........(1) 20. ¿Y cómo eres?

Jaime: Soy rubio y ..........(2) los ojos azules. Te mando una foto, ¿vale?

Elena: Vale.

Jaime: ¿..........(3) tú una para enviarme?

Elena: No, pero… ¿y si ponemos la cámara?

Jaime: Estoy en la universidad y aquí no (ellos) ..........(4) cámara web.

Elena: Vaya. ¿Nos conectamos esta noche, entonces?

Jaime: No, hoy ..........(5) sueño, estoy muy cansado. Mañana hablamos.

Elena: Vale, hasta mañana.

| Indicating possession | Expressing feelings | Asking for something |
| --- | --- | --- |
|  |  |  |

| Asking for or saying one's age | Describing people |
| --- | --- |
| ¿Cuántos años tienes? |  |

Right answers: ........ **out o**

## 11. Who are they?

Complete with the verbs *ser* or *tener*.

**0.** (Yo) ....*Soy*..... peruano y ...*tengo*.... muchos amigos españoles.

**1.** Mónica ............... profesora de aeróbic y ............... un gimnasio.

**2.** Teresa ............... abogada y ............... poco tiempo para sus hijos.

**3.** Matías y Tomás ............... veinte años y ............... estudiantes.

**4.** Tú y él ............... jóvenes y ............... mucho tiempo libre.

**5.** El señor López ............... el presidente y ............... mucho dinero.

Right answers: ......... **out of 10**

## 12. These are my classmates.

Put the information in order and describe these people using the verbs *ser, tener, llevar*.

**0.** **Alejandro Arroyo:** ojos verdes, moreno, corbata roja, bajo, chaqueta azul.
*Alejandro Arroyo es moreno y bajo, tiene los ojos verdes y lleva una chaqueta azul y*
*una corbata roja.*

**1.** **Adriana Becerra:** pelo negro, vestido blanco, ojos azules, alta, zapatos negros.

......................................................................................................................

......................................................................................................................

**2.** **Alonso Cortés:** gordo, abrigo marrón, rubio, ojos negros, paraguas azul.

......................................................................................................................

......................................................................................................................

**3.** **Danny Sunier:** morena, delgada, falda amarilla, ojos verdes, jersey verde.

......................................................................................................................

......................................................................................................................

Right answers: ......... **out of 3**

**I AM ALL EARS.** Listen to the dialogue.

- ¿Conoces ya a la nueva jefa?
- No, todavía no.
- Yo sí.
- ¿Sí? ¿Cómo es?
- Parece muy competente. **Sabe** cuatro idiomas. **Tiene** 35 años. Está casada y **tiene** ya dos hijas. Es morena, bastante alta. **Tiene** el pelo corto y rizado y unos ojos negros enormes. Ah... y parece que **tiene** mucha paciencia. ¿Sabes? Seguro que a ti también te gusta.
- Eso espero.

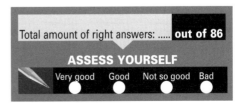

Total amount of right answers: ...... **out of 86**

**ASSESS YOURSELF**

Very good     Good     Not so good     Bad

**5**

| FORM | USE |
|------|-----|
| Conjugation of the verbs *ser* and *estar*. | Identifying, describing, defining and locating in time and space. |

Look also at unit 7, level A1

Oye, ¿quién **es** el chico moreno que **está** al lado de Laura? **Es** muy guapo.

**Es** Diego, el compañero de piso de Santi. **Es** muy simpático.

## FORM

| Subject | ser | estar |
|---------|-----|-------|
| yo | soy | estoy |
| tú | eres | estás |
| él, ella, usted | es | está |
| nosotros, nosotras | somos | estamos |
| vosotros, vosotras | sois | estáis |
| ellos, ellas, ustedes | son | están |

### General rule:

Nouns, adjectives and pronouns following *ser* and *estar* agree with the subject in number and gender.
*Pedro es profesor. - María es profesora.*
*Pedro es este. - María es esa.*
*(Ellos) están contentos. - (Ellas) están contentas.*

## USE

### The verb *ser* is used to:

**1.** Identify.
- ¿Quién **es** usted? ■ **Soy** Elena Sánchez.
- ¿Y él quién **es**? ■ **Es** mi marido.
- ¿Qué **es** eso? ■ **Es** una mesa de oficina.

**2.** Indicate origin or nationality.
- ¿De dónde **eres**?
■ **Soy** argentino, de Córdoba.

**3.** State an occupation.
- ¿**Eres** actor? ■ Sí, **soy** actor y cantante.

**4.** Express time: the date and the time of the day.
*Hoy es sábado. Son las dos de la tarde.*

**5.** Express possession.
- ¿De quién **es** este coche? ■ **Es** de mi padre.

**6.** Indicate amounts and prices.
- ¿Cuánto **es**? ■ **Son** veinte euros.

**7.** Express the reason with *por* and purpose with *para*.
*Estudia español. **Es por** su trabajo.*
*Este ordenador **es para** trabajar, no para jugar.*

### The verb *estar* is used to:

**1.** Indicate location.
- ¿Dónde **está** la farmacia?
■ Al final de esta calle.

**2.** Express time with *estar a* + days and with *estar en* + months, periods of time and seasons.
***Estamos a** diez de abril. **Estamos a** sábado.*
***Estamos en** abril. **Estamos en** Navidad.*
***Estamos en** primavera.*

**3.** Express the temperature with *estar a* + grados.
***Estamos a** dos grados bajo cero.*

**4.** Express states with *bien* or *mal*.
- ¿Qué tal **está** este ejercicio? ■ No **está** bien.

#### Ser + adjective

It describes physical qualities of people and objects.
*Susana **es** alta y delgada.*
*Mi coche **es** rojo.*

It describes a person's or an animal's character.
*Laura **es** muy lista.*
*Mi gato **es** tranquilo.*

#### Estar + adjective

It describes the physical states of people and objects.
*¿Qué tal **está** Juana? / **Está** enferma.*
*El restaurante **está** cerrado.*

It describes emotions and feelings.
***Está** muy contento.*
***Estoy** de mal humor.*

# Exercises

## 1. *Es* or *está* ?
Underline the correct verb.

0. El cine **es / está** cerca de aquí.
1. ¿**Sois / Estáis** de aquí? No, **somos / estamos** de Valladolid.
2. Vivimos en Marruecos, pero **somos / estamos** españoles.
3. Mi padre **es / está** profesor en un instituto.
4. Esta máquina **es / está** para hacer fotocopias y enviar faxes.
5. ¡Cómo pasa el tiempo! Ya **somos / estamos** en Semana Santa otra vez.
6. Este libro **es / está** de Jorge Luis Borges.
7. Mira, el chico que **es / está** allí **es / está** mi hermano.
8. Tú **eres / estás** de Sevilla, ¿verdad? Se nota por tu acento.
9. Creo que mi madre **es / está** de mal humor.
10. Este año no sale de vacaciones. **Es / Está** por sus padres, están enfermos.

Right answers: ......... **out of 12**

## 2. *Ser* and *estar* quiz.
Tick the correct option.

| | | |
|---|---|---|
| 0. El ascensor ........... en el sexto piso. | ☐ es | ☑ está |
| 1. Esta camisa ........... muy bonita. | ☐ es | ☐ está |
| 2. Mi cumpleaños ........... en enero. | ☐ es | ☐ está |
| 3. ¿Te pasa algo? ........... pálido. | ☐ Eres | ☐ Estás |
| 4. ¿Dónde ........... el Hotel Picasso, por favor? | ☐ es | ☐ está |
| 5. ■ ¿Cuánto ..........., por favor? ● 10 euros. | ☐ es | ☐ está |
| 6. ■ ¿Qué ........... esto? ● Mi nuevo móvil. | ☐ es | ☐ está |

Right answers: ......... **out of 6**

## 3. Talking about the time.
Complete the sentences.

0. ■ ¿Qué hora ....*es*.... ahora?
   ● Las ocho media.

1. ■ ¿A qué ........... hoy ?
   ● A veinticuatro de octubre.

2. ■ ¿Qué día ........... hoy?
   ● Jueves.

3. ■ ¿A qué hora ........... la clase?
   ● A las nueve.

4. ■ ¿A qué temperatura ...........?
   ● A un grado bajo cero.

5. ■ ¿En qué estación ...........?
   ● En primavera.

6. ■ ¿En qué mes ...........?
   ● En agosto.

7. ■ ¿Cuándo ........... tu cumpleaños?
   ● En septiembre.

Right answers: ......... **out of 7**

# Exercises

## 4. *Ser* and *estar* in everyday conversations.
Complete with *ser* or *estar* and match the columns.

0. ¿Quién ....*es*.... aquel chico del abrigo negro?

1. ¿(Tú) ........... contento?

2. ¿........... buena la última película de Antonio Banderas?

3. ¿........... bien mi examen?

4. ¿ Cómo ........... tu hermana?

5. ¿(Tú) ........... de Madrid?

6. ¿........... muy tímida Sara?

7. ¿Tu novia ........... enfermera?

8. ¿De quién ........... este diccionario?

9. ¿Qué día ........... hoy?

a. Rubia y alta, como mi madre.

b. Sí, trabaja en una clínica privada.

c. De la profesora.

d. Sí, pero vivo en Segovia.

e. El novio de María.

f. Miércoles.

g. No. ¡Qué va! ¡Malísima!

h. Sí, muy bien. Perfecto.

i. Sí. Odia hablar en público.

j. Sí, muy contento.

Right answers: ......... out of

## 5. Describing people.
Classify these words under the right column.

alto    tímido

rubio    preocupado

cansado    bajo

moreno    guapo

contento    ordenado

optimista    asustado    deprimido

| Estar + adjective | Ser + adjective |
|---|---|
|  | *alto* |

Right answers: ......... out o

## 6. Talking about friends.
Complete the sentences with *es* or *está*.

0. No sé lo que le pasa a Silvia, ..*está*... cansada.

1. Elvira ...........  muy tímida y no le gusta hablar en público.

2. Javier ...........  un chico puntual y llega siempre a la hora.

3. Elena viste muy bien, ...........  una mujer elegante.

4. Ramón ...........  deprimido, por eso no sonríe últimamente.

5. María ...........  una mujer desordenada.

6. Roberto ...........  feo, pero es muy simpático.

7. Algo le pasa a Luisa, ...........  preocupada.

8. José ...........  optimista, todo le parece bien.

9. Enrique ...........  contento, mañana se va de vacaciones.

Right answers: ......... out

## 7. Conversations on the phone.

Complete with the verbs *ser* or *estar* in their right form.

- ■ ¿Sí? ¿Quién ...*es*....? [0]
- ● Hola, .......... Pedro. [1]
- ■ ¡Ah, hola, Pedro! Yo .......... Sandra. [2]
- ● ¡Qué tal, Sandra? Oye, ¿..........Rafael? [3]
- ■ No, no .........., acaba de salir. [4]
- ● ¡Vaya! ¿Cuándo va a volver?
- ■ No sé, pero .......... en casa de Laura. Puedes llamarlo allí. [5]
- ● Vale, gracias. Hasta luego.

- ■ Museo de Ciencias, ¿dígame?
- ● Buenos días. ¿.......... abierto el museo esta tarde? [6]
- ■ No, los domingos por la tarde .......... cerrado. [7]
- ● ¿Cuál .......... el horario? [8]
- ■ De martes a jueves, de 10.00 a 20.00, y los domingos, de 10.00 a 14.30.
- ● El museo .......... muy cerca del paseo de la Castellana, ¿verdad? [9]
- ■ Sí, muy cerca. .......... a unos cinco minutos andando. [10]
- ● ¿Y cuánto .......... el precio de la entrada? [11]
- ■ Los domingos .......... gratuito. [12]
- ■ Muy amable. Muchas gracias.
- ■ De nada.

**I AM ALL EARS.** Listen to the dialogue.

- ■ Sí, dígame.
- ● Hola, mamá, **soy** Felipe.
- ■ Hola, hijo, ¿dónde **estás**?
- ● **Estoy** en un pueblo de Granada, en la casa de unos amigos. La casa **es** preciosa. **Es** muy antigua pero **está** muy bien conservada. Parece un palacio. Además estos amigos **son** estupendos.
- ■ Bueno, ya veo que **estás** muy contento. Oye, ¿cuándo vuelves a casa?
- ● No lo sé todavía. Te llamo otro día. Adiós. Un beso.
- ■ Adiós.

Right answers: .......... **out of 12**

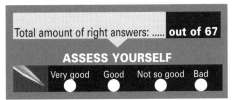

Total amount of right answers: ..... **out of 67**

**ASSESS YOURSELF**

| Very good | Good | Not so good | Bad |

Components:
# Possessives

| FORM | USE |
|------|-----|
| Possessive adjectives and pronouns. | Expressing possession or ownership. |

6

Look also at unit 15, level A1

11

¿De quién es este bolígrafo?

¿Y estas gafas?

Es **mío**.

Son **mías**.

## FORM

### The possessives

| | | | One owner | | | Several owners | | |
|---|---|---|---|---|---|---|---|---|
| | | | yo | tú | él, ella usted | nosotros nosotras | vosotros vosotras | ellos, ellas ustedes |
| Unstressed | Masculine | Singular | mi | tu | su | nuestro | vuestro | su |
| | | Plural | mis | tus | sus | nuestros | vuestros | sus |
| | Feminine | Singular | mi | tu | su | nuestra | vuestra | su |
| | | Plural | mis | tus | sus | nuestras | vuestras | sus |
| Stressed | Masculine | Singular | mío | tuyo | suyo | nuestro | vuestro | suyo |
| | | Plural | míos | tuyos | suyos | nuestros | vuestros | suyos |
| | Feminine | Singular | mía | tuya | suya | nuestra | vuestra | suya |
| | | Plural | mías | tuyas | suyas | nuestras | vuestras | suyas |

## USE

**1.** Possessives indicate possession or ownership.
○ ¿Vamos en **mi** coche? ● No, mejor vamos en el **mío**.

**2.** The form of the possessive corresponds with the owner and agrees in gender (masculine or feminine) and number (singular or plural) with the noun (person or object possessed) which it goes with or replaces.
**Mi** bolígrafo es verde y **mis** cuadernos azules.
○ ¿Esta es **vuestra** habitación? ● No, la **nuestra** es esa.

**3.** The forms su, sus, suyos, suyas are sometimes ambiguous. They may refer to: de él, de ella, de ellos, de ellas, de usted, de ustedes.
Telefoneo con **su** móvil. This may mean de él, de ella, de ellos, de ellas, de usted...
The context clarifies who or what they refer to:
Estoy con Juan y telefoneo con **su** móvil.

**4.** The possessive is not used when the relationship of possession is obvious (parts of the body, clothes, personal objects, etc.) or when the relationship of possession is indicated by a pronoun. In that case an article is used: el, la, los, las.
Vende el coche but not *Vende su coche.
Me lavo la cara but not *Me lavo mi cara.

**Unstressed possessives:**

**1.** They go in front of a noun. Vamos en **mi** coche.

**2.** Only the forms nuestro and vuestro agree as well in gender (masculine or feminine) with the noun.
**Nuestro** coche y **nuestra** casa.

**Stressed possessives:**

**1.** They are usually used without a noun.
   ■ And they are preceded by a definite article when we already know what or who we refer to.
   Mi impresora no funciona. ¿Puedo usar **la tuya**? (Tu impresora - Your printer)
   ■ Or else they are used without an article or with the verb ser to express ownership.
   ○ ¿De quién es este bolígrafo? ● **Mío** / Es **mío**.

**2.** They can go after the noun to indicate one or several individuals of a group.
Conozco a una profesora **tuya**.

**3.** They agree in gender and number with the noun they refer to.

# Exercises

## 1. Stressed or unstressed possessives.

Tick the correct option.

0. ¿Dónde están ............ padres?  ☑ tus  ☐ tuyos
1. ○ ¿De quién es este teléfono móvil?  ● ............ .  ☐ Su  ☐ Suyo
2. Tengo una película ............ en mi casa.  ☐ tu  ☐ tuya
3. No me gusta esa costumbre ............ .  ☐ tu  ☐ tuya
4. ¿Cómo está ............ abuelo?  ☐ tu  ☐ tuyo
5. No encuentro a ............ perro.  ☐ mi  ☐ mío

Right answers: ......... **out of 5**

## 2. Who does this belong to?

Answer the questions as in the example.

0. ¿De quién es este coche? .....*Suyo*..... (De ellos)
1. ¿De quién es esa moto? ................ (Yo)
2. ¿De quién son estos pantalones? ................ (De mi hermana)
3. ¿De quién es este niño? ................ (De Luis y Clara)
4. ¿De quién son esas entradas de cine? ................ (De vosotros)
5. ¿De quién es este bocadillo? ................ (Tú)
6. ¿De quién es esta carta? ................ (De usted)
7. ¿De quién son aquellos libros? ................ (De nosotras)
8. ¿De quién es este jersey? ................ (De la profesora)

Right answers: ......... **out of 8**

## 3. Stressed possessives.

Complete the sentences.

0. ○ ¿Conoces a este pintor?
   ● Sí, tengo un cuadro ...*suyo*.. .
1. ○ ¿Te gusta este grupo musical?
   ● Sí, tengo un disco ............ .
2. ○ En mi casa no hay luz desde ayer.
   ● Nosotros tenemos un amigo electricista.
   ○ ¿Ah, sí? ¿Y puede venir a mi casa ese amigo ............?
3. ○ Juan, ¿son todos estos perros ............?
   ● No, paseo a los perros de otras personas.
4. ○ ¿A quién estáis esperando?
   ● A un tío ............ de Venezuela. Pero no lo conocemos.
   ○ ¿Y tenéis una foto ............?
   ● Sí, claro. Es esta.
5. ○ Pedro López es un gran escritor. ¿Lo conoces?
   ● No.

Right answers: ......... **out of 6**

   ○ Pues yo tengo un libro ............ . ¿Quieres leerlo?

## 4. Woe is me!

Replace the nouns with pronouns to avoid repetition.

**0.** Mi móvil no funciona. ¿Me dejas tu móvil? .............. *¿Me dejas el tuyo?* ..............

**1.** Tengo la moto en el taller. ¿Puedo utilizar tu moto? ..................................................

**2.** No me gusta mi helado. Prefiero vuestros helados. ..................................................

**3.** Prefiero tu apartamento a mi apartamento. Es más grande. ..................................................

**4.** No tengo impresora a color. ¿Puedo usar tu impresora? ..................................................

**5.** Mis gafas de sol no son buenas. Son mejores sus gafas de sol. ..................................................

Right answers: ......... **out of**

## 5. What a mess! Whose objects are these?

Look at the pictures and complete with the right possessive.

| TÚ | USTED | VOSOTROS |
|---|---|---|
| Diccionario pequeño | Cartera negra | Cuadernos grises |

| Móvil sin cámara | Llavero de plata | Mochilas grandes |
|---|---|---|

**0.** ● Abel, ¿es ......*tuyo*...... este diccionario grande?

　　○ No, ......*el mío*...... es ese pequeño.

**1.** ● Pepe y Pilar, ¿son .................... estos cuadernos azules?

　　○ No, .................... son esos grises.

**2.** ● Señora, ¿es .................... esta cartera marrón?

　　○ No, .................... es esa negra.

**3.** ● Señora, ¿es .................... este llavero de plástico?

　　○ No, .................... es de plata.

**4.** ● Abel, ¿es .................... este móvil con cámara?

　　○ No, .................... no tiene cámara.

**5.** ● Pepe y Pilar, ¿son .................... estas mochilas pequeñas?

　　○ No, .................... son esas grandes.

Right answers: ......... **out o**

## 6. *El mío* or *mío*?

Tick the right answer.

0. ● ¿Este es tu coche?
   ○ No, ................. es aquel.     ☐ mío     ☑ el mío

1. ● ¿De quién es esta cámara?
   ○ ................. .     ☐ Nuestra     ☐ La nuestra

2. ● Isabel Coixet es una buena directora de cine.
   ○ Tengo que ver alguna película ................. .     ☐ suya     ☐ la suya

3. ● ¿Quién es Eloísa?
   ○ Es una compañera ................. del instituto.     ☐ nuestra     ☐ la nuestra

4. ● Me gusta más esta casa que ................. .     ☐ mía     ☐ la mía

5. ● ¿Este sombrero es de tu madre?
   ○ No, ................. es negro.     ☐ suyo     ☐ el suyo

6. ● Estas son mis camisetas. ................. están
   en el cajón.     ☐ Tuyas     ☐ Las tuyas

7. ● Tenemos el mismo teléfono móvil, ¿no?
   ○ Sí, pero ................. tiene conexión a Internet.     ☐ mío     ☐ el mío

Right answers: ......... **out of 7**

## 7. Ana is going to study at *Lucia's*.

Fill in the gaps with possessives.

**Ana:** ¡Hola! ¿Está Lucía en casa? Soy una amiga ...*suya*... de la facultad.

**Madre de Lucía:** Sí, está en ........... habitación. Puedes dejar ........... cosas aquí.

¡Lucía! Está aquí una amiga ........... de la facultad.

**Lucía:** ¡Hola, Ana! Vamos a ........... habitación.

**Ana:** ¡Qué grande es ........... habitación! La ........... es muy pequeña.

**Lucía:** Sí, es bastante grande. Oye, mañana es el cumpleaños de ........... hermano Luis. Te invita
a ........... fiesta. ¿Quieres venir?

**Ana:** Sí, gracias. ........... hermano es muy simpático y ........... amigos son también muy divertidos.

**Lucía:** Bueno, vamos a estudiar, que mañana con la fiesta de ........... hermano no podemos estudiar.

Right answers: ......... **out of 11**

**I AM ALL EARS.** Listen to the dialogue.

■ Toma, ¿es esta **tu** mochila?

● No, **la mía** es aquella negra. Esta es de César.

■ ¿Estás seguro? Yo creo que **la suya** es más pequeña.

● Puede ser. Pero, desde luego, **la mía** no es.

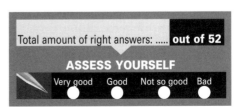

Total amount of right answers: ..... **out of 52**

**ASSESS YOURSELF**

Very good    Good    Not so good    Bad

**Components:**

# Comparatives

| FORM | USE |
|------|-----|
| *Más que, menos que, tan(to) como.* | Making comparisons. |

¿Este piso es céntrico?

No, no es **tan** céntrico **como** el otro, pero es **más** barato.

## FORM

| Comparison | |
|---|---|
| **With adjectives and adverbs** | |
| + **Más... que** | El escáner es **más** nuevo **que** el ordenador.<br>Mi casa está **más** lejos **que** la tuya. |
| – **Menos... que** | Sara es **menos** simpática **que** Samuel.<br>La pizzería está **menos** lejos **que** el restaurante chino. |
| = **Tan... como** | La falda es **tan** elegante **como** el pantalón.<br>Caminas **tan** despacio **como** yo. |
| **With nouns** | |
| + **Más... que** | Siempre hago **más** ejercicios **que** tú. |
| – **Menos... que** | Los domingos hay **menos** tráfico **que** los lunes. |
| = **Tanto, tanta, tantos, tantas... como** | Tengo **tantos** años **como** tú. |
| **With verbs** | |
| + verb + **más que** | La niña duerme **más que** el niño. |
| – verb + **menos que** | Mi mujer come **menos que** yo. |
| = verb + **tanto como** | Teresa estudia **tanto como** tú. |

| Irregular comparative adjectives | |
|---|---|
| más pequeño/a (de edad) | **menor** |
| más grande (de edad) | **mayor** |
| más bueno/a | **mejor** |
| más malo/a | **peor** |
| **Irregular comparative adverbs** | |
| más bien | **mejor** |
| más mal | **peor** |

## USE

1. *Tanto* with verbs is invariable.
   *Luis estudia **tanto como** su hermano.*
   *Luis y Elena estudian **tanto como** sus hermanos.*

2. *Tanto, tanta, tantos, tantas* followed by nouns, agree with them in gender and in number.
   *Tengo **tantos** problemas como usted.*
   *Hay **tantas** mujeres como hombres.*

3. *Mayor* and *menor* refer to age. When one refers to size the regular forms *más grande* and *más pequeño* are used.
   *Mi hermano es **menor que** yo (tiene menos años que yo), pero es **más grande**, mide casi dos metros.*

4. Irregular comparative adjectives (*menor, mayor, mejor, peor*) agree in number with the nouns they refer to.
   *Las películas españolas son **mejores** que las americanas.*

# Exercises

## 1. *Más* or *menos*.
Write the sentence in a different way to express the same thing, as in the example.

0. Pedro es más inteligente que yo.          *Yo soy menos inteligente que Pedro.*
1. La vida es más cara en la ciudad que en el campo. ...............................................
2. Eres menos rápido que yo. ...............................................
3. El sillón es más cómodo que la silla. ...............................................
4. Este piso es más antiguo que el tuyo. ...............................................
5. José es menos simpático que Luis. ...............................................
6. Este ejercicio es más fácil que el anterior. ...............................................
7. Él tiene menos dinero que yo. ...............................................
8. Nosotros estudiamos más que vosotros. ...............................................
9. Este ordenador es más que caro que el otro. ...............................................

Right answers: ......... **out of 9**

## 2. *Tan, tanto, tanta, tantos, tantas.*
Complete the sentences.

0. Miguel ve ....*tantas*... películas como tú.
1. España no tiene ................ habitantes como Alemania.
2. Este traje es ................ bonito como el tuyo.
3. Hacer deporte me gusta ................ como estudiar.
4. María no compra ................ cosas como su hija.
5. La calidad de vida no es ................ buena como antes.
6. Ganamos ................ dinero como vosotros.
7. Nuestros hijos practican ................ deportes como los vuestros.
8. Leemos ................ como vosotros.
9. Tienen ................ años como nosotros.

Right answers: ......... **out of 9**

## 3. *Como* or *que*.
Complete the sentences.

0. Pedro es tan pesimista ....*como*.... yo.
1. María es más alta ................ su vecina.
2. Su trabajo es más interesante ................ el tuyo.
3. Le gusta menos esta película ................ la otra.
4. No va tanto al teatro ................ antes.
5. Las noticias circulan más rápido ................ en otros tiempos.
6. Me gusta tanto comer fuera de casa ................ comer en casa.
7. Su casa está tan cerca del centro ................ la mía.
8. Viajar es más fácil ahora ................ antes.
9. Este coche es tan caro ................ el otro.

Right answers: ......... **out of 9**

### 4. Two options.
Choose the right answer.

0. No tiene **tan** / **tantos** amigos como yo.
1. Es más exigente **que** / **como** su padre.
2. Trabaja **tanto** / **tantas** horas como sus compañeros.
3. Luis gana más dinero **que** / **como** Raimundo.
4. Me gusta menos escribir cartas **que** / **como** mandar correos electrónicos.
5. Cristina es **tan** / **menos** trabajadora que Natalia.
6. Es mucho más tímido **como** / **que** su hermano.
7. La película de hoy es **tan** / **tanta** interesante como la de ayer.
8. Estudiamos **tanto** / **tantos** como tú.
9. Tú no comes **tanto** / **tantos** como yo.

Right answers: ......... **out of**

### 5. Making comparisons.
Write sentences as in the example.

0. El tren AVE / es rápido / tren TALGO. (+)

   *El tren AVE es más rápido que el tren TALGO.*

1. En China / hay habitantes / en Japón. (+) ........................................................................

2. Los argentinos / comen carne / los brasileños. (=) ........................................................................

3. En los países del Ecuador / hace frío / en los países de los trópicos. (-) ........................................................................

4. La torre de Pisa / es alta / la estatua de la Libertad. (-) ........................................................................

5. Los españoles / son guapos / los italianos. (=) ........................................................................

6. Los franceses / exportan queso / los belgas. (+) ........................................................................

7. El queso manchego / es bueno / el queso gallego. (=) ........................................................................

8. Los andaluces / trabajan / los catalanes. (=) ........................................................................

9. Los gatos / son independientes / los perros. (+) ........................................................................

Right answers: ......... **out o**

### 6. Comparing is funny.
Match the columns and complete the sentences with comparatives.

0. Mi hermano mide 1,90 y yo mido 1,80.
1. Mi hermano pesa 85 kilos, yo peso 90.
2. Mi hermano tiene tres años más que yo.
3. Mi hermano practica muchos deportes, yo solo juego al golf.
4. Mi hermano gana 4.200 € al mes, yo solo gano 2.800.
5. Mi hermano tiene muchos amigos, yo tengo pocos.
6. Mi hermano viaja mucho, yo viajo poco.
7. Mi hermano lee más de veinte libros al año, yo solo leo seis o siete.

a. Él practica ........... deportes ........... yc
b. Yo no gano ........... dinero como él.
c. Él es *..más..* alto *..que..* yo.
d. Yo leo ........... libros ........... él.
e. Él es ........... ........... yo.
f. Yo no viajo ........... como él.
g. Él está ........... delgado ........... yo.
h. Yo tengo ........... amigos ........... él.

Right answers: ......... **out**

## 7. Irregular comparatives.

Write sentences following the example.

0. La paella está / buena / la sopa. ............... *La paella está mejor que la sopa.* ...............

1. Ernesto es / grande / su hermana. ...........................................................

2. Este ejercicio está / mal / el otro. ...........................................................

3. Hoy el gazpacho está / bueno / ayer. ...........................................................

4. Jaime es / pequeño / tu hijo. ...........................................................

5. El enfermo está / mal / ayer. ...........................................................

Right answers: ......... **out of 5**

## 8. Medical files.

Read the two files and say if the assertions below are true or false.

**Nombre:** Elena
**Apellidos:** Sánchez López
**Edad:** 28 años
**Estatura:** 1,62 m.
**Peso:** 59 kg.
**Cociente intelectual:** 90
**Estado civil:** casada.
**Nº de hijos:** 1
**Ritmo de vida:** duerme 7 horas diarias y trabaja 10 horas diarias.
**Días de vacaciones al año:** 35.
**Ingresos anuales:** 30.000 euros.
**Aficiones:** deporte y bailar.

**Nombre:** Jaime
**Apellidos:** Torres Pérez
**Edad:** 26 años
**Estatura:** 1,78 m.
**Peso:** 75 kg.
**Cociente intelectual:** 85
**Estado civil:** casado.
**Nº de hijos:** 2
**Ritmo de vida:** duerme 7 horas diarias y trabaja 8 horas diarias.
**Días de vacaciones al año:** 31.
**Ingresos anuales:** 20.000 euros.
**Aficiones:** leer y deporte.

|  | T | F |  | T | F |
|---|---|---|---|---|---|
| 0. Elena es menor que Jaime. | ☐ | ☑ | 6. Jaime gana menos que Elena. | ☐ | ☐ |
| 1. Jaime es más alto que Elena. | ☐ | ☐ | 7. Elena tiene tantos días de vacaciones como Jaime. | ☐ | ☐ |
| 2. Elena tiene tantos hijos como Jaime. | ☐ | ☐ |  |  |  |
| 3. Elena es más inteligente que Jaime. | ☐ | ☐ | 8. Elena pesa menos que Jaime. | ☐ | ☐ |
| 4. Elena duerme tanto como Jaime. | ☐ | ☐ | 9. Elena lee mucho más que Jaime. | ☐ | ☐ |
| 5. Elena trabaja menos que Jaime. | ☐ | ☐ |  |  |  |

Right answers: ......... **out of 9**

 **I AM ALL EARS.** Listen to the dialogue.

- ¿Tienes hambre? ¿Preparo unos macarrones?
- Vale, te ayudo, yo puedo hacer una ensalada.
- En la nevera hay lechuga y tomates.
- Huy, ¿no tienes tomates **más** maduros **que** estos?
- Sí, estos son **mejores**, no están **tan** verdes **como** esos.
- Perfecto. ¿Preparo un postre también?
- No. Yo no como **tanto como** antes. Necesito adelgazar.
- Tienes razón. Yo también. Hoy sin postre.

Total amount of right answers: ..... **out of 66**

**ASSESS YOURSELF**

Very good   Good   Not so good   Bad

Components:
# Superlatives

| FORM | USE |
|---|---|
| Formation of the superlative ending in –*ísimo, muy* and *el más / menos*. | Emphasising a quality. |

Este restaurante es **muy** bueno.

Sí, pero es **carísimo**.

## FORM

| | | | |
|---|---|---|---|
| **Superlative without comparison.** | Adjective or adverb + **ísimo /a.**<br>• If the adjective or adverb ends in a vowel this vowel disappears.<br>• If the adjective or adverb ends in –*co, -ca,* "c" is replaced by "*qu*".<br>• If the adjective or adverb ends in *go, -ga* we add a "*u*". | | *fácil*          *facilísimo*<br>*alto/a*          *altísimo/a*<br>*tarde*          *tardísimo*<br>*Esto es facilísimo.*<br>*Hoy llegas tardísimo.*<br>*poco*          *poquísimo*<br>*larga*          *larguísima* |
| | **Muy** + adjective | | *Este coche es **muy** pequeño.* |
| **Superlative with comparison** | **el / la / los / las**<br>(+ noun) **más**<br>+ adjective | **de** + noun<br>**que** + clause | *Juan es **el** (alumno) **más** listo de la academia.*<br>*Este país es **el menos** desarrollado **del** mundo.* |
| | **el / la / los / las**<br>(+ noun) **menos**<br>+ adjective | | *Marta es **la** (mujer) **más** inteligente **que** conozco.*<br>*Este vestido es **el menos** elegante **que** tengo.* |

## USE

***ísimo/a* and *muy*:**

They emphasise a quality of a person or thing without comparing it to others.
*Juan es **altísimo**.*

***El/la/los/las ... más/menos* + adjective:**

1. They emphasise a quality of a person or thing comparing it to others.
   *Juan es **el más** alto **de** todos los hermanos.*

2. Irregular superlatives:
   el / la más pequeño/a (de edad) ⟶ **el / la menor**
   el / la más grande (de edad) ⟶ **el / la mayor**
   el / la más bueno/a ⟶ **el / la mejor**
   el / la más malo/a ⟶ **el / la peor**

# Exercises

## 1. *El más* and *el menos*.

Complete the sentences as in the example.

0. Antonio es ......*el*...... chico ....*más*.... alto de la clase (más).
1. Esta es .............. casa .............. bonita del pueblo (más).
2. María es .............. joven .............. agradable del grupo (menos).
3. Estos son .............. días .............. largos del año (más).
4. Los tuyos son .............. padres .............. simpáticos que conozco (más).
5. Es .............. novela .............. interesante de estos últimos años (menos).
6. El golf es .............. deporte .............. atractivo para los jóvenes (menos).
7. Es .............. programa de televisión .............. aburrido que hay (menos).

Right answers: ......... **out of 7**

## 2. *–ísimo/a*.

Change the adjectives and adverbs into superlatives.

| | | | | |
|---|---|---|---|---|
| 0. cerca | *cerquísima* | 8. lento | .......................... |
| 1. baja | .......................... | 9. guapa | .......................... |
| 2. fácil | .......................... | 10. bueno | .......................... |
| 3. tarde | .......................... | 11. caro | .......................... |
| 4. poco | .......................... | 12. mala | .......................... |
| 5. tranquilo | .......................... | 13. pequeño | .......................... |
| 6. temprano | .......................... | 14. mucha | .......................... |
| 7. interesante | .......................... | 15. largo | .......................... |

Right answers: ......... **out of 15**

## 3. *Muy* and *–ísimo*.

Change the sentences as in the example.

0. El cine está muy lejos.    .............. *El cine está lejísimos.*
1. Hoy llegas muy pronto.    ..................................................................
2. El profesor es muy gracioso.    ..................................................................
3. Ese coche es muy caro.    ..................................................................
4. Este cuadro es muy feo.    ..................................................................
5. Pedro es un chico muy interesante.    ..................................................................
6. Tus amigos son muy educados.    ..................................................................
7. Es una ciudad muy grande.    ..................................................................
8. Estoy leyendo un libro muy divertido.    ..................................................................
9. Me queda muy poco dinero.    ..................................................................
10. Esos problemas son muy difíciles.    ..................................................................

Right answers: ......... **out of 10**

35

# Exercises

### 4. –ísimo and muy.
Change the sentences as in the example.

0. El día es cortísimo. .................... *El día es muy corto.* ....................
1. Este café está malísimo. ....................................................
2. El tren es rapidísimo. ....................................................
3. Es una comida pesadísima. ....................................................
4. Este pastel es dulcísimo. ....................................................
5. Paso por calles estrechísimas. ....................................................
6. Aquí respiramos un aire purísimo. ....................................................
7. Esa corbata es elegantísima. ....................................................
8. Las camisas están blanquísimas. ....................................................
9. Pilar está delgadísima. ....................................................
10. Mi novio es listísimo. ....................................................

Right answers: ......... **out of**

### 5. Irregular superlatives.
Complete with *mayor, menor, mejor, peor*.

0. Las últimas horas de la tarde son muy malas. Son las .....*peores*.... horas del día.
1. Estos productos son muy buenos. Son los .................... que tenemos.
2. Esta película me gusta mucho. Es la .................... de todas.
3. Mi abuelo tiene muchos años. Es el .................... de toda la familia.
4. Esta línea funciona muy mal. Tiene los .................... autobuses de la ciudad.
5. No compro en esa tienda. Tienen los .................... productos del barrio.
6. Tengo tres hijas: Marta, de 12 años, Susana, de 9, y la .................... es Lidia, de 2.

Right answers: ......... **out o**

### 6. Superlatives with or without comparison.
Tick the right answer.

0. Pablo mide 1,40 m., Marta mide 1,53 m. y Jesús mide 1,68 m. Jesús es ............... de los tres.
   ☐ mayor        ☑ el más alto        ☐ altísimo
1. Mónica tiene 1.000 euros, Raquel tiene 2.500 euros y Susana no tiene dinero. Susana es ............... .
   ☐ riquísima        ☐ la más rica        ☐ muy pobre
2. El libro de Historia tiene 300 páginas, el de Matemáticas tiene 230 y el de Español tiene 120. El
   libro de Historia es ............... .
   ☐ el más gordo        ☐ mayor        ☐ delgadísimo
3. La película de Almodóvar es interesante, la de Amenábar es buenísima y la película de Coixet es
   buena. Para mí, la película de Amenábar es ............... .
   ☐ la mayor        ☐ la mejor        ☐ la peor
4. Juan llega todos los días a las 7.30 h, José María a las 8.00 y Esteban a las 8.20. Esteban siempre llega
   ............... .
   ☐ tardísimo        ☐ el más tarde        ☐ el mayor tarde
5. La paella está mala, el gazpacho está bueno, pero el flan está buenísimo. La paella es ...............
   plato.
   ☐ el mejor        ☐ el más malo        ☐ el peor

Right answers: ......... **out o**

**7.** **Miranda is showing her wedding pictures to Pepa.**

Change the adjective or adverb in bold into a superlative in –*ísimo/a*.

Miranda: Mira, estas son las fotos de mi boda. Aquí estoy en casa, con mis padres, antes de salir.

Pepa: Estabas **muy guapa** .*guapísima*. con ese vestido **largo** ................... ¿Era de tu madre?

Miranda: No, era un vestido nuevo. El vestido de mi madre me quedaba **muy pequeño** ................... .

Pepa: Tus padres también están **muy elegantes** ................... .

Miranda: Y aquí estamos en la puerta de la iglesia, con todos mis hermanos.

Pepa: ¿Este es tu hermano pequeño? Pues está **muy alto** ................... . Y además parece un chico **muy interesante** ................... .

Miranda: Oye, que ya tiene novia.

Pepa: No lo digo por eso, mujer.

Miranda: En esta foto también hay otros chicos **muy buenos** ................... .

Pepa: Estos son **muy feos** ..................., Miranda.

Miranda: Bueno, pero son **muy simpáticos** ................... . Son los compañeros de trabajo de mi marido. Nos reímos **mucho** ................... con todos ellos. Aquí ya estamos en el restaurante.

Pepa: ¡Huy! Hay **mucha** ................... gente, ¿no?

Miranda: Sí, más de 300 personas. Es un restaurante **muy grande** ................... que está a las afueras de la ciudad. Y aquí estamos en una fiesta en una discoteca que está **muy cerca** ................... del restaurante. Un día inolvidable.

Pepa: ¡Qué suerte!

Right answers: ......... **out of 12**

**I AM ALL EARS.** Listen to the dialogue.

- ■ Mi profesor es **malísimo**. No le entiendo nada cuando nos explica la gramática.
- ● ¿Sí? Pues mi profesora es **buenísima**, es **la mejor** de todos. Nos explica la gramática de forma **muy clara** y además es **muy divertida**.
- ■ ¡Qué suerte! ¿Os hace muchos exámenes?
- ● No, **poquísimos**.
- ■ Pues el mío nos hace uno todas las semanas. Es **muy exigente**.

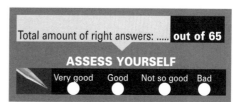

Total amount of right answers: ..... **out of 65**

**ASSESS YOURSELF**

Very good   Good   Not so good   Bad

Components:
# Indefinite pronouns and adjectives

**9**

| FORM | USE |
|------|-----|
| Indefinite pronouns and adjectives. | Referring to people or things generally rather than specifically. |

¿Tienes **algún** compañero español en el piso?

No, **ninguno. Todos** somos extranjeros.

17

## FORM

| | | Affirmative | Negative |
|---|---|---|---|
| **One indefinite element** | **Person** | alguien | nadie |
| | **Thing** | algo | nada |
| **One or several elements of a group of people or things** | | alguno, alguna, algunos, algunas | ninguno, ninguna, ningunos, ningunas |
| | | todo, toda, todos, todas | |
| | | otro, otra, otros, otras | |

## USE

**1.** Indefinite pronouns and adjectives are used to refer to undetermined people, animals or things.

**2.** When negative indefinites follow the verb, we must use **NO** before the verb.
*Ninguno* me interesa. *No me interesa ninguno*.
¿*Nadie* va a ayudarme? *No* va a ayudarte *nadie*.
¿*Nada* te gusta? ¿*No* te gusta *nada*?

## Alguien, nadie, algo, nada:

**1.** They are invariable forms and are not used to express plural.

**2.** *Alguien* and *algo* refer to one person or one thing without mentioning it.
¿*Alguien* conoce a Pedro? ¿Quieres tomar *algo*?

**3.** *Nadie* and *nada* refer to the non existence of a person or thing.
*No hay nadie* en clase. *No hay nada* en la nevera.

## Alguno/a/os/as and ninguno/a/os/as:

**1.** They refer to individuals or to several elements of the same group.
● ¿*Vienen tus amigos?* ■ *Sí, vienen algunos*.
● ¿*Hay botellas de agua?* ■ *No, no queda ninguna*.

**2.** *Alguno* and *ninguno* lose final –o in front of a masculine singular noun.
● ¿*Hay algún profesor aquí?*
■ *No, no hay ningún profesor*.

## Todo/a/os/as:

**1.** It refers to a whole group of people or things.
*Me gustan todas estas fotos.*
¿*Llegaron bien todos los chicos?*

**2.** It may go in front of a noun or without it. If they go with a noun, there is a definite article, a demonstrative or a possessive between *todo/a/os/as* and the noun.
*Me gustan todas.* *Me gustan todas las fotos.*
*Me gustan todas esas fotos. Me gustan todas tus fotos.*

**3.** It agrees in gender and number with the noun.
*Vienen todas las chicas y todos los chicos.*

**4.** The invariable form *todo* is used without a noun to refer to all things in an indefinite way, not related to a group. It is the opposite of *nada*.
○ ¿*Qué os gusta de esta tienda?*
● *Me gusta todo. Todo es interesante.*
■ *Pues a mí no me gusta nada*.

## Otro/a/os/as:

**1.** It refers to several different people or things, but belonging to the same group.
*Voy a consultar a otro médico.*
*Hay muchos caramelos. ¿Quieres otro?*

**2.** It may go in front of a noun or without it and agrees with it in gender and number.
*Me cambio de colegio y voy a tener otros profesores.*
*Estos lápices de colores no son buenos, necesito otros.*

**3.** It may go with a definite article, but never with an indefinite one.
*Este me gusta mucho y el otro no.*
*Este no me gusta, quiero otro.*

# Exercises

## Indefinite pronouns and adjectives

### 1. *Todo* and *nada*.
Match the columns.

0. todo                       a. nada
1. alguno               b. nadie
2. algo                  c. ningún
3. alguien             d. ninguno
4. algún                e. nada

Right answers: ........ **out of 4**

### 2. What's the opposite?
Rewrite the sentences saying the opposite.

0. Tengo algún libro de Isabel Allende.     *No tengo ningún libro de Isabel Allende.*
1. Tengo algo para ti en este bolsillo. ....................................................
2. Alguien te va a dar un regalo. ....................................................
3. No tengo contacto con ninguno de mis compañeros. ....................................................
4. ¿Me recomiendas alguna película de Almodóvar? ....................................................
5. Todo me sale muy bien. ....................................................

Right answers: ........ **out of 5**

### 3. Two options.
Underline the correct word.

0. ¿Tienes **algún / ningún** disco de este cantante famoso?
1. **Ningún / Ninguno** estudiante quiere sacar malas notas.
2. Creo que aquí hay **alguien / nadie** que entiende de música clásica.
3. **Ningún / Alguno** alumno quiere hacer el trabajo.
4. ¿Tienes **alguna / algún** novela de Gabriel García Márquez?
5. ¿Quieres beber **algo / nada**?
6. Hay **alguien / nadie** que te espera en la entrada.
7. ¿Tienes **alguna / algún** pregunta que hacerme?
8. Hoy no hay **algo / nada** interesante en la televisión.
9. No entiendo **nada / alguien** de eso.
10. ¿Tiene **algún / alguno** día libre esta semana?

Right answers: ........ **out of 10**

### 4. *Algo, alguien, nada, nadie.*
Complete the sentences.

0. ¿Necesitas ....*algo*....?
1. ¿Viene .............. a comer hoy?
2. ¿Te pasa ................? Tienes mala cara.
3. El director sabe la verdad porque .............. le informa de todo.
4. Con este mal tiempo, no se puede hacer ............... .
5. En este edificio ya no vive ............... .

6. ¿Tienes .............. que hacer este fin de semana?
7. Conmigo no viene ............... . Todos se van con ella.
8. Esto está muy tranquilo. ............... no va bien.
9. ○ ¿.............. duerme en esta habitación?
   ● No, aquí no duerme ............... .

Right answers: ........ **out of 10**

**5.** *Algún, alguno (a, os, as), ningún, ninguno(a).*
Complete the sentences.

0. ...*Algunas*.... personas son muy generosas.

1. Te veo preocupado. ¿Tienes ................. problema?

2. ................. preguntas del examen son muy difíciles.

3. En este cine no ponen ................. película de terror.

4. ¿Conocéis ................. restaurante mexicano por esta zona?

5. No tenemos ................. noticia de Pedro y Alicia.

6. Necesitamos ................. horas más.

7. No viene a verme ................. compañero de clase.

Right answers: ......... out of

**6.** **Indefinites in questions and answers.**
Match the two columns.

0. ¿Tiene otra habitación libre?
1. ¿Quién llama por teléfono?
2. ¿Te gustan las películas policíacas?
3. ¿Te gusta la paella?
4. ¿Qué quieres hacer hoy?
5. ¿Qué ejercicio te recomienda el médico?
6. ¿Tienes muchos amigos?
7. ¿Vienen muchos a la fiesta?
8. ¿Qué cenamos hoy?
9. ¿Quién puede ganar el premio?

a. Nadie. Son todos muy malos.
b. Nadie. Es una equivocación.
c. Sí, quiero otro plato.
d. No me recomienda ninguno, solo relajarme.
e. No quiero hacer nada, nos quedamos en casa.
f. No hay nada en la nevera. ¿Cenamos fuera?
g. Sí, me gustan casi todas.
h. Sí, hay otra, pero es más pequeña.
i. Sí, vienen todos.
j. Tengo algunos, pero ninguno íntimo.

Right answers: ......... out of

**7.** **Indefinites quiz.**
Tick the correct answer.

0. ○ ¿Tienes más hambre? ¿Quieres comer más?
   ● Sí, quiero ................. bocadillo, por favor. | ☑ otro | ☐ alguno | ☐ todo

1. ○ Lo siento, no hay billetes para este tren.
   ● ¿Y cuándo sale ................., por favor? | ☐ otro | ☐ todo | ☐ ninguno

2. ○ ¿Qué ponen esta noche en la tele?
   ● No hay ................. programa interesante. | ☐ ninguno | ☐ nada | ☐ ningún

3. ○ ¿Te gustan las novelas de Vargas Llosa?
   ● Sí, las tengo ................. . | ☐ otras | ☐ ninguna | ☐ todas

4. ○ ¿Vas algún día a la piscina?
   ● Sí, voy ................. las tardes. | ☐ algunas | ☐ todas | ☐ otras

5. ○ ¿Ves algo desde ahí?
   ● Sí, veo ................. . | ☐ todo | ☐ nada | ☐ nadie

6. ○ Estoy llamando a casa de Juan, pero no contestan.
   ● Creo que no hay ................. . | ☐ alguno | ☐ nadie | ☐ alguien

Right answers: ......... out o

## 8. A lot or nothing.

Complete the sentences as in the example.

0. Juan tiene muchos coches, pero Tomás *no tiene ninguno.* ........................................................

1. Elena tiene tres casas, pero Lucio ..............................................................................................

2. Ernesto sale todos los días, pero Miguel .....................................................................................

3. Ángela lleva siempre dos móviles en el bolso, pero Sonia ..........................................................

4. Andrés ve todas las películas de José Luis Garci, pero Marta ....................................................

5. A Alejandro le llama alguien todas las tardes, pero a Laura .......................................................

6. Luis lee dos periódicos al día, pero Carlos ..................................................................................

7. Neus compra algo todas las semanas, pero Yolanda ...................................................................

Right answers: ......... **out of 7**

## 9. Drama scene: *noises at night.*

Complete with the right indefinite form.

*(Una mujer y su marido están durmiendo por la noche en su habitación. La mujer oye un ruido y se despierta asustada)*

**Mujer:** Cariño, ¿no oyes $_0$ .....*algo*.....?

**Hombre:** (Se despierta en ese momento) ¿Qué? Yo no oigo $_1$ ................. .

**Mujer:** Pues yo oigo un ruido. ¿Ves? Ahora $_2$ ................. ruido más fuerte y unos pasos. Hay $_3$ ................. abajo. Tengo miedo.

**Hombre:** Pueden ser los niños, ¿no?

**Mujer:** ¿Los niños? Están $_4$ ................. en casa de la abuela, ¿no te acuerdas?

**Hombre:** Ay, es verdad.

**Mujer:** ¿Por qué no bajas a ver?

**Hombre:** Voy.

*(El hombre se levanta y sale de la habitación. Pasan unos minutos. La mujer no oye $_5$ .................)*

**Mujer:** ¿Qué pasa? ¿Cariño? ¿Estás bien?

*(Se oyen $_6$ ................. golpes, luego unos pasos subiendo las escaleras. $_7$ ................. se acerca a la puerta de la habitación. Se apaga la luz)*

**Mujer:** (Grita) ¡Ahhhhh!

Right answers: ......... **out of 7**

**I AM ALL EARS.** Listen to the dialogue.

- ¿Por qué no hacemos una fiesta española?
- Vale. ¿**Alguien** tiene CD de flamenco?
- ¿Flamenco? No. Yo hablo de una fiesta con música pop.
- Ah, bueno. Yo tengo **algún** CD de David Bisbal.
- Perfecto. Pues yo tengo **algunos** CD de **otros** cantantes españoles. Por ejemplo, de Alejandro Sanz tengo **todos** sus discos.
- Las canciones de Alejandro Sanz son muy lentas. No se puede bailar **ninguna**. Vamos a traer **algo** más alegre, ¿vale?
- Muy bien.

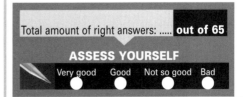

Total amount of right answers: ..... **out of 65**

**ASSESS YOURSELF**

Very good    Good    Not so good    Bad

Components:

# Personal pronouns
### (direct object and indirect object forms)

| FORM | USE |
|---|---|
| *Me, te, le, lo, la, nos os, les, los, las* and *se*. | Avoiding repetition of direct and indirect objects. |

**10**

Look also at units 16 and 17, level A1

19

¿**Le** compramos el regalo a Pablo?

Sí. Y **se lo** damos mañana

## FORM

|  | Indirect object personal pronouns | Direct object personal pronouns |
|---|---|---|
| yo | me | me |
| tú | te | te |
| él, usted | le > se | lo |
| ella, usted | | la |
| nosotros, nosotras | nos | nos |
| vosotros, vosotras | os | os |
| ellos, ustedes | les > se | los |
| ellas, ustedes | | las |

## USE

**Direct and indirect object personal pronouns:**

**1.** They are used to replace the direct and indirect objects when we know who or what we are talking about.
- *Mañana es el cumpleaños de Ana. ¿Le regalamos un libro?*
- *Vale. Esta tarde se lo compramos.*

**2.** The pronouns always go in front of the verb, first the indirect object pronoun and then the direct object pronoun.
*¿Te mando el sobre? = ¿Te lo mando?*
With the infinitive and the gerund they can also go behind and be spelt as one word with the verb.
*Está haciéndonos la cena. = Está haciéndonosla. / Nos la está haciendo.*
*Quiero hacerte un regalo. = Quiero hacértelo. / Te lo quiero hacer.*

**3.** When the indirect object is *le* or *les* and it is combined with *lo, la, los, las* it is replaced by *se*.
*¿Le llevo estos libros al profesor?*
        Direct object = *los* Indirect object = *le*
*¿Le los llevo? = ¿Se los llevo?*

**4.** The indirect object pronoun often appears in the same sentence as the indirect object it refers to. This happens mostly when we have both the direct and indirect objects, together with verbs expressing emotions or feelings, like *gustar* or *parecer*.
*¿Le llevo estos libros al profesor?*
*Le voy a decir la verdad a Olga.*
*A mi padre le gustan las novelas de aventuras.*

**5.** As well as personal pronouns (*me, te, le, lo, la,* ...) we sometimes also use *a mí, a ti, a él* ... in the same sentence.
a) In order to clearly identify who we are talking about.
   *¿Les dejo un aviso?* This may mean a ellos, a ellas or a ustedes. *¿Les dejo a ellos un aviso?*
b) In order to mark a contrast.
   - *María me está buscando, ¿verdad?*
   - *No, me está buscando a mí.*
c) In order to emphasize the indirect object.
   *Este profesor os da clase a todos, ¿verdad?*
   *No, a mí no me da clase.* (Maybe he teaches others, but not me).

**6.** With the verb *haber* the direct object is not replaced by pronouns.
- *¿Hay café?*  ▪ *Sí, hay.*

# Exercises

**Personal pronouns**
(direct and indirect object)

## 1. Direct object pronouns.
Change the sentences as in the example.

0. Nos piden una explicación. ............... *Nos la piden.* ...............
1. Os decimos la verdad. ...............................................
2. Te cuento la historia. ...............................................
3. ¿No me das un beso? ...............................................
4. Nos ponen la comida. ...............................................
5. Os envío las flores. ...............................................
6. Te vendo el coche. ...............................................
7. ¿Os compro los helados? ...............................................

Right answers: ......... **out of 7**

## 2. *Le, les* replaced by *se.*
Change the sentences as in the example.

0. Le doy el regalo. ............... *Se lo doy.* ...............
1. Les facilito las cosas. ...............................................
2. Le enseño la nueva casa. ...............................................
3. Le soluciono sus problemas. ...............................................
4. Les pinto las paredes. ...............................................
5. Le escribo la tarjeta. ...............................................

Right answers: ......... **out of 5**

## 3. Repeating the indirect object..
Write the indirect object pronoun which is necessary.

0. ..... *Le* ..... digo las cosas a mi amigo.
1. .............. traigo el té a los invitados.
2. .............. recuerdo las normas a los clientes.
3. .............. entrego las notas a los estudiantes.
4. .............. doy la noticia a los periodistas.
5. .............. hago la pregunta al director.
6. .............. presto mis libros a Ernesto.
7. .............. envío el documento a Sara.

Right answers: ......... **out of 7**

## 4. What are they talking about?
Look at the pronouns and the verbs carefully and match the columns.

0. Te los dejo hasta el lunes.
1. Se lo envío todos los meses.
2. Se la digo siempre a mis padres.
3. Te lo comes ahora mismo.
4. Me las pongo en verano.
5. Nos la dan al llegar.
6. Se los leo a los niños en la cama.
7. Os la hacéis después de desayunar.

a. la verdad
b. los cuentos
c. el bocadillo
d. los CD
e. la cama
f. el dinero
g. la bienvenida
h. las gafas de sol

Right answers: ......... **out of 7**

## 5. Replacing the direct object.
Change the sentences as in the example.

0. ¿Puedes darme el diccionario? .............................. *¿Puedes dármelo?* ..............................

1. Está escribiéndome la carta. ..............................................................

2. Me gusta regalaros cuadros. ..............................................................

3. Acabo de darle la noticia. ..............................................................

4. Está poniéndose una corbata. ..............................................................

5. Le encanta comprarse discos. ..............................................................

Right answers: ......... **out of 5**

## 6. Giving answers.
Answer the questions.

0. ○ ¿Le vende el coche? • Sí, ..... *se lo vende* ..............................

1. ○ ¿Te trae las entradas del cine? • No, ..............................................

2. ○ ¿Les aprueban el examen a todos? • Sí, ..............................................

3. ○ ¿Os presta el dinero? • Sí, ..............................................

4. ○ ¿Te enseña las fotos? • No, ..............................................

5. ○ ¿Te hace la cama? • No, ..............................................

Right answers: ......... **out of**

## 7. Who does that?
Complete the answers with the correct pronouns.

0. ○ ¿Quién te da clases de español? • ..... *Me las* ..... da un profesor argentino.

1. ○ ¿Quién te escribe esos correos electrónicos? • ............... escribe una chica de mi clase.

2. ○ ¿Quién os cuida la casa? • ............... cuida una amiga nuestra.

3. ○ ¿Quién les lleva a ellas los documentos? • ............... lleva la secretaria del director.

4. ○ ¿Quién les trae a ustedes las cartas? • ............... trae el cartero.

5. ○ ¿Quién te regala flores? • ............... regala mi novio.

6. ○ ¿Quién os lee cuentos por las noches? • ............... lee nuestra mamá.

7. ○ ¿Quién me deja su coche mañana? • ............... dejo yo.

8. ○ ¿Quién nos presenta a la nueva directora? • ............... presenta el presidente.

Right answers: ......... **out of**

## 8. Avoiding repetition.
Replace the underlined words by pronouns.

0. ○ ¿Me das mis zapatos, por favor?
   • Sí, ahora mismo te doy **tus zapatos.**
   .................. *Sí, ahora te los doy.* ..................

1. ○ ¿Nos pasas la sal, por favor?
   • Sí, ahora os paso **la sal**.
   ..................................................................

2. ○ ¿Qué tal la carta?
   • Estoy terminándote **la carta**.
   ..................................................................

3. ○ ¿Nos dices la verdad?
   • Claro, os estoy diciendo **la verdad**.
   ..................................................................

4. ○ Cariño, ¿me compras este reloj?
   • Vale, te compro **este reloj** para tu cumpleaños.
   ..................................................................

5. ○ ¿Les lavas las manos a los niños?
   • Sí, les lavo **las manos** ahora mismo.
   ..................................................................

Right answers: ......... **out of**

## 9. Pronouns in everyday conversations.

Complete with *me, te, lo, nos...* and *a mí, a ti, a él, a ella, a nosotros...*, if necessary.

0. ○ ¿..*La*.... invitas a la fiesta?

   ● ¿A quién? ¿A Begoña? ¡No!, no ........... invito. No ........... soporto.
   $_{1}$ $_{2}$

1. ○ A mi novia ........... gusta mucho el fútbol, pero ........... no ........... gusta nada. ¿Y a vosotras?
   $_{3}$ $_{4}$ $_{5}$

   ● A ........... tampoco.
   $_{6}$

2. ○ Nuestro profesor de gramática ........... da también clases de pronunciación (a nosotros).
   $_{7}$

   ● Pues el nuestro solo ........... da clase de gramática.
   $_{8}$

3. ○ María ........... llama dos o tres veces a la semana (a mí).
   $_{9}$

   ● Pues ........... ........... llama todos los días.
   $_{10}$ $_{11}$

4. ○ ¿Hay limonada en la nevera?

   ● Sí, ........... hay.
   $_{12}$

   ○ ¿Te sirvo una?

   ● No, gracias, ........... la limonada no ........... gusta.
   $_{13}$ $_{14}$

   Right answers: ........ **out of 14**

## 10. At the restaurant.

Match the columns and complete the sentences with the correct pronoun. Use two pronouns if necessary.

0. Camarero, por favor, ¿(a nosotros) ...*nos*... trae la carta?

1. ¿Qué ........... recomienda de primero (a nosotros)?

2. ¿........... sirvo algún aperitivo (a ustedes)?

3. ¿........... llevo los abrigos al guardarropa (a ustedes)?

4. ¿Tienen algún postre especial?

a. Sí, por favor, a ella ........... trae unas aceitunas y ........... ........... trae unas almendras.

b. No, gracias. No es necesario.

c. En seguida ...*se la*...traigo.

d. Sí, el postre de la casa. ........... gusta mucho a todos nuestros clientes.

e. ........... recomiendo la ensalada de la casa.

Right answers: ........ **out of 8**

---

🎧 20

**I AM ALL EARS.** Listen to the dialogue.

■ Oye, ¿**me** puedes dejar este libro para el fin de semana?

● Lo siento, no **te lo** puedo dejar. **Se lo** voy a dejar esta tarde a un compañero. **Lo** necesita para preparar un examen.

■ Bueno, entonces, ¿**me** puedes dejar esta novela?

● Sí, esta sí **te la** puedo dejar. **Te** va a gustar mucho. Es muy buena.

■ Vale, gracias. **Te la** devuelvo el lunes.

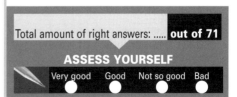

Total amount of right answers: ..... **out of 71**

**ASSESS YOURSELF**

Very good   Good   Not so good   Bad

# Prepositional phrases of place

| FORM | USE |
|------|-----|
| *Cerca de, lejos de, al lado de...* | Locating people and things. |

¿Hay un metro **cerca**?

Sí, el más próximo está **a la derecha**, **detrás del** parque.

## FORM

### To indicate position

| | | | | | |
|---|---|---|---|---|---|
| **In front (of)** |  | *Delante de* mi casa hay una parada de autobús. | **Between** |  | *El baño está entre la cocina y el salón.* |
| **Behind** |  | *Mi casa está detrás de la parada del autobús.* | **On/To the left (of)** |  | |
| **Underneath / below, etc.** |  | *Debajo de* mi casa hay un garaje. | **On/To the right (of)** |  | ● *El árbol está al lado de la casa.* ■ *Pero, ¿a la derecha o a la izquierda?* |
| **On top (of) / on / over, etc.** |  | *Mi casa está encima del garaje.* | **Beside / Next to, etc.** |  | |
| **In(side)** |  | *La botella está dentro de la nevera.* | **Opposite** |  | *Enfrente de mi casa hay una farmacia. Para ir solo tengo que cruzar la calle.* |
| **Out(side)** |  | *La botella está fuera de la nevera.* | | | |

### To indicate distance

| | | | | | |
|---|---|---|---|---|---|
| **Near / Close (to)** |  | *Mi casa está cerca del parque.* | **Far (away) (from)** |  | *Mi casa está lejos del parque.* |

## USE

1. They are used with preposition *de* + noun when we indicate the place of reference.
   *El libro está **encima de** la mesa.*

2. They are not used with preposition *de* + noun when we know the place of reference.
   ● *¿El libro está encima de la mesa?*
   ○ *Sí, a la izquierda (~~de la mesa~~).*

# Exercises

## Prepositional phrases of place

### 1. Where are the glasses?
Look at the photos and write sentences using the words and expressions given.

| a la derecha de | debajo de | delante de |
|---|---|---|
| encima de | detrás de | entre |

0. _Las gafas están delante del periódico._
1. ............................................................
2. ............................................................
3. ............................................................
4. ............................................................
5. ............................................................

Right answers: ......... **out of 5**

### 2. Prepositional phrases of place quiz.
Tick the correct form.

0. Voy en tren a la oficina porque vivo ................ .  ☑ lejos  ☐ cerca
1. En España, escribimos el número ............... del nombre de las calles.  ☐ delante  ☐ detrás
2. Hay un restaurante chino en la planta baja y ............... hay una academia, en el primer piso.  ☐ encima  ☐ debajo
3. Los garajes normalmente están ............... de las casas.  ☐ encima  ☐ debajo
4. La mantequilla debe estar ............... de la nevera.  ☐ dentro  ☐ fuera
5. Portugal está a la ............... de España.  ☐ derecha  ☐ izquierda
6. ............... de los hospitales siempre hay una farmacia.  ☐ Lejos  ☐ Cerca
7. ............... de mi casa hay un supermercado.  ☐ Enfrente  ☐ Entre
8. No tengo dinero. Hay un cajero automático aquí ............... . Vuelvo en un minuto.  ☐ lejos  ☐ al lado

Right answers: ......... **out of 8**

### 3. What's the opposite?
Complete the answers using the opposite preposition.

0. ● ¿Los servicios están al final del pasillo a la derecha?
   ○ No, a la ..*izquierda*.. .

1. ● ¿Cerca de tu casa hay metro?
   ○ No, el metro está muy ................. de mi casa.

2. ● ¿El jardín está delante de tu casa?
   ○ No, está ................. .

3. ● ¿La fruta está dentro de la nevera?
   ○ No, está ................. .

4. ● ¿El garaje está encima del edificio?
   ○ No, está ................. .

5. ● ¿Hay una panadería dentro del centro comercial?
   ○ No, la panadería está ................. .

6. ● ¿La piscina está lejos de tu casa?
   ○ No, la piscina está ................. .

7. ● ¿Dónde está el paraguas? ¿Encima de la mesa?
   ○ No, el paraguas está ................. .

8. ● ¿Dónde está la biblioteca? ¿A la izquierda del salón de actos?
   ○ No, ................. .

9. ● ¿Dónde ponemos el árbol de Navidad? ¿Delante de tu casa?
   ○ No, lo ponemos ................., en el jardín.

Right answers: ......... out of

### 4. Locating things and people.
Fill in the blanks with one of the following expressions.

| cerca | dentro | enfrente |
|---|---|---|
| **detrás** | entre | al lado | izquierda | delante |

0. En la cola del cine, el señor está delante de la señora y la señora está ....*detrás*.. .

1. La estatua está a la derecha de la entrada del parque y la entrada está a la ................. de la estatua.

2. Esta glorieta está ................. cuatro calles.

3. Tengo muchos libros ................. de la cartera. ¿Los saco?

4. El coche negro está aparcado detrás del camión, y el mío está ................. del camión.

5. Mi amigo vive lejos del centro y yo vivo muy ................. .

6. Mi casa está muy cerca del parque, está ................. .

7. Justo ................. de la carnicería, al otro lado de la carretera, hay una pescadería.

Right answers: ......... out of

### 5. With or without *de*?
Underline the correct answer.

0. Tengo las gafas **dentro / dentro de** la cartera.

1. ¿Por qué dejas la leche **fuera / fuera de** la nevera?

2. La sala está llena. Hay mucha gente **dentro / dentro de**.

3. Los niños juegan **fuera / fuera de** casa.

4. El baño está **lejos / lejos de** la cocina.

5. Siéntate aquí **cerca / cerca de**.

6. A la derecha está el parque y a **la izquierda / la izquierda de**, el río.

7. Mi casa queda **lejos / lejos de** aquí.

8. Es curioso. No dice nada **delante / delante de** los invitados.

9. Se pone **delante / delante de** y no veo nada.

10. **Detrás / Detrás de** hay unos amigos de mis padres.

11. **Enfrente de / Enfrente** la oficina hay una cafetería. Te espero allí.

Right answers: ......... out o

## 6. The juggling clown.

Write sentences saying where each balloon is.

0. .................... *Está encima del payaso.* ....................

1. ................................................................................

2. ................................................................................

3. ................................................................................

4. ................................................................................

5. ................................................................................

6. ................................................................................

7. ................................................................................

8. ................................................................................

9. ................................................................................

Right answers: ......... **out of 9**

**I AM ALL EARS.** Listen to the dialogue.

22

- ■ Oye, perdona. ¿Sabes dónde está la sala de ordenadores? Es mi primer día de clase y no conozco bien la escuela.
- ● Claro, está muy **cerca**. ¿Sabes dónde está la cafetería?
- ■ Sí.
- ● Pues **enfrente de** la cafetería está la sala de ordenadores.
- ■ ¿Y la biblioteca?
- ● En el segundo piso, justo **encima de** la sala de ordenadores, y **al lado de** la biblioteca está el despacho del director.
- ■ Gracias.
- ● De nada.

Total amount of right answers: ..... **out of 49**

**ASSESS YOURSELF**

| Very good | Good | Not so good | Bad |
| ○ | ○ | ○ | ○ |

Components:
# Adverbs of manner

| FORM | USE |
|------|-----|
| Adverbs ending in *-mente*. | Indicating the way in which the verb's action takes place. |

23

¿Has visto la última película de Almodóvar?

No.

Pues está muy **bien** y los actores trabajan **estupendamente**.

## FORM

| Adverbs of manner | | |
|---|---|---|
| **Adverbs** | **Meaning** | **Example** |
| **Así** | De esta manera. | *¿Voy bien vestida **así**?, ¿qué te parece?* |
| **Bien** | De manera correcta. | *Tiene tres años, pero ya lee muy **bien**.* |
| **Mal** | De manera incorrecta. | *Escribes **mal**, no entiendo tu letra.* |
| **Deprisa** | Con rapidez. | *Conduce muy **deprisa** y tiene muchas multas.* |
| **Despacio** | Poco a poco, lento. | *Conduce muy **despacio** porque le da miedo la velocidad.* |

| Formation of the adverb (*-mente*) | |
|---|---|
| Feminine singular adjective + **–mente**<br>*rápida + mente = rápidamente*<br>*suave + mente = suavemente* | PERO:   buena ⟶ bien     mala ⟶ mal |

## USE

**1.** They express the way in which an event happens.
*Va a más de 140 km/h. Conduce **deprisa**.*

**2.** Some adverbs have the same form as the adjectives.
***Alto** (volumen de sonido): Habla **alto**, no te oigo bien.*

**3.** They go after the verb and before the adjective.
*Fernando siempre va **bien** vestido.*
*Soy **completamente** feliz.*

**4.** When two or more adverbs ending in –mente are used together, only the last one carries the ending –mente.
*Hacen los ejercicios rápida y fácil**mente**.*

# Exercises

## 1. Adverbs in –mente.

Make adverbs from these adjectives:

| | | | | | |
|---|---|---|---|---|---|
| 0. | cierto | *ciertamente* | 10. | reciente | ......................... |
| 1. | simple | ......................... | 11. | feliz | ......................... |
| 2. | tranquilo | ......................... | 12. | triste | ......................... |
| 3. | lento | ......................... | 13. | magnífico | ......................... |
| 4. | difícil | ......................... | 14. | tonto | ......................... |
| 5. | teórico | ......................... | 15. | mecánico | ......................... |
| 6. | rápido | ......................... | 16. | extraordinario | ......................... |
| 7. | fácil | ......................... | 17. | real | ......................... |
| 8. | maravilloso | ......................... | 18. | pacífico | ......................... |
| 9. | cómodo | ......................... | 19. | seco | ......................... |

Right answers: ......... **out of 19**

## 2. Use of the adverbs in –mente.

Replace the words in bold by an adverb in –mente.

0. **En realidad** no me gusta el cine de terror.
   *Realmente no me gusta el cine de terror.*

1. Recibe a sus padres **con felicidad**.
   ........................................................................................................

2. Siempre soluciona los problemas **con facilidad**.
   ........................................................................................................

3. Mi madre cocina **de una manera maravillosa**.
   ........................................................................................................

4. Aquí todo el mundo hace su trabajo **con rapidez**.
   ........................................................................................................

5. Estás enfermo, tienes que hacer las cosas **con tranquilidad**.
   ........................................................................................................

6. Descansa **con comodidad** en el sofá.
   ........................................................................................................

7. Carmen toca el piano **de una forma extraordinaria**.
   ........................................................................................................

8. Hablas **de una manera muy seca**.
   ........................................................................................................

9. Podemos resolver esto **de una forma pacífica**, ¿no?
   ........................................................................................................

10. Responde a las preguntas **de manera mecánica**.
    ........................................................................................................

11. **En teoría** no podemos estar aquí.
    ........................................................................................................

12. Habla con su abuelo **con alegría**.
    ........................................................................................................

Right answers: ......... **out of 12**

## 3. Adjectives or adverbs?
Tick the correct form.

0. Santiago Hernández es un médico ................... .  ☐ magníficamente  ☑ magnífico
1. Gana todas las carreras porque corre muy ................... .  ☐ lento  ☐ rápido
2. Sonia es muy ................... con su familia.  ☐ egoístamente  ☐ egoísta
3. Quiero explicarte ................... y ampliamente los detalles de esta historia.  ☐ tranquilamente  ☐ tranquila
4. ¿Puede ayudarme? Este pasatiempo es ................... .  ☐ difícilmente  ☐ difícil
5. ¿Te cuento una historia divertida? Es un hecho ................... .  ☐ realmente  ☐ real
6. Conozco esta ciudad ................... .  ☐ perfectamente  ☐ perfecto
7. Mi equipo es muy bueno, ganamos ................... todos los partidos.  ☐ fácilmente  ☐ fácil
8. Margarita responde tranquila y ................... a todas las preguntas.  ☐ perfecta  ☐ perfectamente

Right answers: ......... **out of**

## 4. Adverbs in everyday situations.
Match the columns.

0. El médico actuó rápidamente    a. y hacer más ruido, porque no oye bien.
1. No entiendo a Jaime    b. porque usa las cosas cuidadosamente.
2. Nunca rompe nada    c. y el enfermo se curó.
3. Mi jefe negocia hábilmente    d. porque escribe magníficamente.
4. Muchas personas conducen mal    e. en cosas que no necesita.
5. Amanda gana todos los concursos literarios    f. porque no habla claramente.
6. Nieves gasta el dinero tontamente    g. y tenemos atascos continuamente.
7. Tienes que golpear la puerta fuertemente    h. y consigue buenos contratos.

Right answers: ......... **out of**

## 5. Specifiyng the information.
Replace the expressions in brackets by adverbs in –*mente* and complete the sentences.

0. Esa información es (del todo) *totalmente* falsa.
1. (Por lo general) ................... voy al trabajo en autobús.
2. Mi profesora explica todo (con claridad) ................... .
3. El asesino se aleja (en silencio) ................... del lugar del crimen.
4. Los bomberos apagan (con rapidez) ................... los fuegos.
5. La casa está (por completo) ................... destruida.
6. El servicio en la línea 6 de metro está (de momento) ................... interrumpido.
7. Mi compañera va (con frecuencia) ................... al cine, una o dos veces a la semana.
8. Mis hijos son bilingües. Hablan (a la perfección) ................... castellano y catalán.
9. Estas pastillas actúan (con eficacia) ................... contra la gripe.

Right answers: ......... **out o**

## 6. In one word.

Replace the expression in brackets by an adverb from the box.

| | | | |
|---|---|---|---|
| posiblemente | únicamente | locamente | efectivamente |
| amablemente | rápidamente | <u>últimamente</u> | activamente |

0. Hago mucho ejercicio (en estas dos semanas) _últimamente_. Necesito estar en forma.

1. Nuria está (con mucha pasión) ...................... enamorada.

2. (A lo mejor) ...................... vamos de vacaciones a Cuba.

3. Este ordenador funciona muy mal, (es verdad) ...................... .

4. No tengo suficiente dinero, (solo) ...................... me quedan unas monedas.

5. Los bomberos siempre llegan (en pocos minutos) ...................... al lugar del incendio.

6. Participa (con mucha energía) ...................... en la organización de la fiesta.

7. Mi profesora siempre trata (con mucha cortesía) ...................... a todos los alumnos.

Right answers: ......... **out of 7**

## 7. Would you be a good teacher?

Complete the sentences with words from the box and do the test.

| | | | |
|---|---|---|---|
| <u>bien</u> | atentamente | estupendamente | rápidamente |
| completamente | <u>realmente</u> | mecánicamente | |

0. Con un buen profesor los alumnos...
   a. aprenden _realmente_ .
   b. se lo pasan _bien_ en clase.
   c. se duermen en clase.

1. Para ser profesor es necesario...
   a. enseñar ................... .
   b. escuchar ................... a los alumnos.
   c. actuar ..................., sin emociones.

2. Para ti, ¿qué significa ser profesor?
   a. Estar ................... loco.
   b. Aprender y enseñar.
   c. Tener una profesión ................... pagada.

**Resultados:** 0a: 2, 0b: 1, 0c: 0
1a: 1, 1b: 2, 1c: 0
2a: 1, 2b: 2, 2c: 0
Entre 4 y 6 puntos: Entiendes muy bien al profesor.
Entre 2 y 4 puntos: Puedes ser un buen profesor.
Entre 0 y 2: Ser profesor no es lo tuyo.

Right answers: ......... **out of 5**

**I AM ALL EARS.** Listen to the dialogue.

24

| | |
|---|---|
| **Policía:** | Buenas tardes. Su carné, por favor. |
| **Conductor:** | ¿Qué pasa, agente? |
| **Policía:** | Conduce usted muy **deprisa**. |
| **Conductor:** | Yo nunca conduzco **así**, siempre voy **despacio**. Pero es que quiero llegar **rápidamente** al hospital. |
| **Policía:** | ¿Qué pasa? ¿Se encuentra mal? |
| **Conductor:** | No, pero mi mujer está allí. Espera un bebé. |
| **Policía:** | Bueno, pues adelante, pero **prudentemente**. |
| **Conductor:** | Muchas gracias. |

Total amount of right answers: ..... **out of 67**

**ASSESS YOURSELF**

Very good | Good | Not so good | Bad

**Components:**
# Adverbs of quantity

**13**

| FORM | USE |
|------|-----|
| *Mucho, muy, poco, bastante, suficiente, demasiado.* | Expressing intensity or quantity |

Look also at unit 18, level A1

25

Trabajas **demasiado**.

 Sí, tenemos **mucho** trabajo en la oficina.

## FORM

| Adverbs of quantity | | |
|---|---|---|
| **Adverbs** | **Meaning** | **Example** |
| **Excessive amount** | Cantidad excesiva | *Come **demasiado**.* |
| **Large amount** | Gran cantidad | *Come **mucho**.* |
| **Necessary amount** | Cantidad necesaria | *Come **suficiente**.* |
| **insufficient amount** | Cantidad pequeña | *Come **poco**.* |

## USE

**1.** They are used to express intensity. They usually follow the verb. They are invariable: they do not have different forms for gender (masculine or feminine) or number (singular or plural).
*Llevas 10 horas en la oficina. Trabajas **demasiado**.*
*Duerme 10 horas todos los días. Duerme **mucho**.*
*No quiero más, gracias. Ya tengo **bastante**.*
*Estudia **poco** y saca malas notas.*

**2.** They may also precede adjectives and adverbs.
*Es **demasiado** tímido. Conduce **demasiado** deprisa.*
*Es un paisaje **muy** bonito. Escribe **muy** mal, no entiendo la letra.*
*Son **bastante** viejos. El ejercicio está **bastante** bien.*
*Es **poco** inteligente. Vive un **poco** lejos.*

**3.** They can precede nouns to express an amount. In this case they agree in gender (masculine or feminine) and number (singular or plural) with the noun they go with.
*demasiado, a, os, as*
*Haces **demasiadas** llamadas. Hace **demasiado** calor.*
*mucho, a, os, as*
*Tengo **muchas** fotos. Necesito **mucho** dinero.*
*bastante, es / suficiente, es*
*¿Hay **suficientes** sillas para todos? ¿Tomas **bastante** leche?*
*poco, a, os, as*
*Quiero **poca** sopa. Quedan **pocas** horas.*

### Muy and mucho:

*Muy* is invariable and is used in front of adjectives and adverbs. *Mucho*, as an invariable form, goes after verbs; as a variable form (*mucho, mucha, muchos, muchas*) it goes with nouns and agrees with them.
*Es **muy** listo. Anda **muy** deprisa.*
*Come **mucho**. Tengo **muchas** amigas.*

### Poco and un poco de:

**1.** Both indicate a small amount, but with *poco* (little) we stress the importance of what is lacking or missing, not what exists, and with *un poco (de)* (a little) we stress the importance of what exists, what we do have.
*Queda **poco** pan. No hay suficiente para todos.*
*Todavía queda **un poco de** pan. Podemos compartirlo.*

**2.** *Poco* is used with any noun and agrees in gender and number with it. *Un poco de* is used with uncountable nouns and is invariable.
*Hay poco pan. Hay **un poco de** pan.*
*Tengo pocas monedas. ~~Tengo un poco de monedas~~.*

**3.** They are also used in front of adjectives or adverbs and after verbs. In this last case both are invariable.
*Estoy **poco** cansada. Estoy **un poco** cansada.*
*El centro está **poco** lejos. El centro está **un poco** lejos.*
*Me gusta **poco** el jazz. Me gusta **un poco** el jazz.*

# Exercises

## 1. The right adverb.
Underline the correct option.

0. Hay **demasiado / <u>demasiada</u>** gente y no veo bien.
1. El ambiente es **mucho / bastante** ruidoso y no se oye.
2. Tengo **demasiadas / bastante** ocupaciones y no me queda tiempo libre.
3. Este coche tiene ya **bastantes / demasiado** kilómetros.
4. Es **poco / demasiado** tarde. Me voy a casa.
5. No hay **bastante / mucho** comida para todos.
6. Los actores de la película son **poco / pocos** conocidos.
7. Este hotel es **demasiado / mucho** caro para mí.
8. No me gusta **mucho / mucha** esta novela.
9. Hay **muchos / demasiadas** personas en el autobús.

Right answers: ......... **out of 9**

## 2. With or without a noun.
Complete with the correct form.

0. Hay (demasiado) ..*demasiadas*.. personas en la sala y no veo al conferenciante.
1. Durante la semana me queda (poco) ...................... tiempo libre.
2. Estudia (mucho) ...................... horas al día y está muy cansado.
3. Esta chica está (demasiado) ...................... desanimada con el trabajo.
4. Compra (demasiado) ...................... fruta y luego se estropea.
5. Hay (mucho) ...................... personas en el supermercado.
6. Come (poco) ...................... carne y (demasiado) ...................... pescado.
7. Siento (mucho) ...................... no poder ir a verte.
8. María anda (poco) ...................... y está muy gorda.
9. Llegan (bastante) ...................... personas para ver el espectáculo.
10. No tengo (mucho) ...................... fuerza para seguir con este trabajo.

Right answers: ......... **out of 11**

## 3. Agreement with the noun.
Complete the dialogues as in the example.

0. ● ¿Hay galletas para los niños?
   ○ Sí, hay (mucho) ..*muchas*.. galletas, tranquila.

1. ● ¿Tienes frío?
   ○ Sí, (mucho) .............. frío. Necesito un abrigo.

2. ● ¿Hay mucha gente en la panadería?
   ○ No, no hay (demasiado) .............. gente.

3. ● ¿Compro fruta?
   ○ Vale. Quedan (poco) .............. manzanas.

4. ● No encuentro sitio para aparcar.
   ○ Es que en este barrio hay (demasiado) .............. coches.

5. ● En este hospital hay pocas enfermeras.
   ○ Pero hay (bastante) .............. médicos, ¿no?

6. ● ¿Recibes muchas cartas?
   ○ No, recibo (poco) .............. cartas, pero (mucho) .............. correos electrónicos.

Right answers: ......... **out of 7**

## 4. Adverbs quiz.

Tick the correct form.

| | | | |
|---|---|---|---|
| 0. Estos niños son ................. ruidosos. | ☑ demasiado | ☐ demasiados | ☐ mucho |
| 1. Vivimos ................. lejos de aquí. | ☐ bastantes | ☐ bastante | ☐ poco |
| 2. Amalia quiere ................. a sus hijas. | ☐ muchos | ☐ mucho | ☐ muchas |
| 3. Estos alumnos hablan ................., ¿verdad? | ☐ pocos | ☐ bastantes | ☐ demasiado |
| 4. Tiene vacaciones ................. días al año. | ☐ poco | ☐ mucha | ☐ muchos |
| 5. Nos gustan ................. las patatas fritas. | ☐ mucho | ☐ pocas | ☐ muchas |
| 6. Es ................. pronto para cenar, ¿no? | ☐ poco | ☐ un poco | ☐ mucho |
| 7. En esta pared hay .............. cuadros. | ☐ suficiente | ☐ mucho | ☐ demasiados |

Right answers: ......... **out of**

## 5. *Poco, suficiente* or *demasiado* in the right gender and number.

Complete the dialogues using the words above in the correct gender and number.

0. ● Esta clase es para veinticinco alumnos. Hoy hay treinta y siete.
   ○ Entonces hay .*demasiados*. alumnos.

1. En las autopistas el límite de velocidad es de 120 km por hora. Y tú vas a 150.
   Corres ..................... .

2. ● ¿Cuántas camas libres hay en este hospital?
   ○ Dieciocho.
   ● Venimos con quince heridos. Entonces hay ..................... camas.

3. ● ¿Cuánto vale el taxi hasta casa?
   ○ Unos 20 euros.
   ● Pues solo me quedan 12. No tengo ..................... dinero.

4. ● Estoy gordo.
   ○ Es que comes ..................... y haces ..................... ejercicio físico.

5. ● Vienen veintitrés niños al cumpleaños de Juanito.
   ○ Pues tenemos ..................... bocadillos. Hay veinticinco.

6. ● ¿Por qué nunca apruebas Matemáticas?
   ○ Es que estudio ..................... .

7. ● ¿Puedes escribir treinta cartas en cinco minutos?
   ○ Claro que no. Eso es ..................... tiempo.

8. ● ¿Cuántas personas caben en este ascensor?
   ○ Ocho.
   ● Pues somos doce. Es ..................... gente.

Right answers: ......... **out**

**6. Everything changes with *poco / un poco de.***
Match the columns.

**0.** 1. El televisor está un poco alto.
   2. El televisor está poco alto.

   a. El televisor no se oye bien.
   b. El volumen del televisor puede molestar.

**1.** 1. Tiene poco dinero ahorrado para comprarse un coche nuevo.
   2. Tiene un poco de dinero ahorrado para comprarse un coche nuevo.

   a. Probablemente se puede comprar el coche.
   b. Probablemente no se puede comprar el coche.

**2.** 1. Hace un poco de calor.
   2. Hace poco calor.

   a. Se van a bañar en la piscina.
   b. No se van a bañar en la piscina.

**3.** 1. Hay poca luz.
   2. Hay un poco de luz.

   a. No puedo leer nada.
   b. Puedo leer algo.

**4.** 1. El profesor habla un poco rápido.
   2. El profesor habla poco rápido.

   a. Los alumnos le pueden entender con facilidad.
   b. Los alumnos no le pueden entender bien.

**5.** 1. Siempre tiene poco tiempo para hablar con sus alumnos.
   2. Siempre tiene un poco de tiempo para hablar con sus alumnos.

   a. No habla mucho con ellos.
   b. Habla con ellos cuando puede.

Right answers: .........  **out of 5**

**I AM ALL EARS.** Listen to the dialogue.

26

■ Buenos días. ¿Qué le pasa?
● Doctor, últimamente estoy **muy** cansada, me duele **mucho** la cabeza. Todas las tardes tengo **un poco de** fiebre y por las noches no duermo **suficiente**.
■ Bueno, primero tiene que hacerse un análisis de sangre. ¿Hace **mucho** tiempo que no se hace uno?
● Sí, **muchos** años.
■ No pasa nada. Seguro que es **un poco de** estrés.

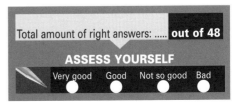

Total amount of right answers: .....  **out of 48**

**ASSESS YOURSELF**

Very good    Good    Not so good    Bad

Components:
# Estar + gerund

| FORM | USE |
|------|-----|
| The gerund | Expressing actions in progress. |

Hola, Jaime. ¿Dónde estás?

Estoy en el supermercado. **Estoy comprando** la cena para esta noche.

## FORM

**General rule:**

The gerund ends in –*ando* or in –*iendo*.

| Formation of the regular gerund | | |
|---|---|---|
| **verbs ending in:** | **ending** | |
| **-ar** | -ando | **Hablar:** hablando |
| **-er** | -iendo | **Beber:** bebiendo |
| **-ir** | | **Vivir:** viviendo |

**Notes:**

With the verbs *llamarse, lavarse, irse,* etc., the pronouns *me, te, se, nos, os* and *se* can go in before *estar* or after the gerund.

*Me* estoy lavando.
Estoy lavándo**me**.

| Formation of the irregular gerund | | |
|---|---|---|
| **E > I** | **O > U** | stem + **yendo** |
| **Decir:** diciendo<br>**Reír:** riendo<br>**Pedir:** pidiendo<br>**Sentir:** sintiendo<br>**Venir:** viniendo | **Morir:** muriendo<br>**Poder:** pudiendo<br>**Dormir:** durmiendo | In verbs ending in –*er* or –*ir*, if the stem ends in a vowel:<br>**Ca(er):** cayendo<br>**Conclu(ir):** concluyendo<br>**Hu(ir):** huyendo<br>**Le(er):** leyendo<br>**O(ír):** oyendo<br>**Tra(er):** trayendo<br><br>A special case: **ir** (*yendo*) |

## USE

**1.** It expresses what is happening at the time of speaking.
  ■ *¿Qué haces?*
  ● ***Estoy escuchando*** *música.*

**2.** It expresses an action in progress with expressions of time such as *hoy, esta mañana, este mes...*
*Este curso* ***estoy aprendiendo*** *mucho.*

| Contrast between the present indicative and *estar* + gerund. | |
|---|---|
| **Present Indicative** | ***Estar* + gerund** |
| It expresses a habitual action.<br>***Desayuno*** *a la ocho.* | It expresses an action that is happening at this very moment.<br>***Estoy desayunando.*** |
| It expresses general information.<br>*En Andalucía, en verano,* ***hace*** *mucho calor.* | It expresses an action in progress, that is, an action which already started in the past and continues up to the present and further, with expressions of time such as *últimamente, hoy, esta mañana, este mes...*<br>*En Andalucía este verano* ***está haciendo*** *mucho calor. (Summer continues.)* |

# Exercises

**Estar + gerund**

## 1. Gerund formation.
Write the gerund of these verbs.

| | | | | | | | |
|---|---|---|---|---|---|---|---|
| 0. cantar | *cantando* | 5. ver | .................... | 10. ir | .................... |
| 1. trabajar | .................... | 6. hacer | .................... | 11. ser | .................... |
| 2. vivir | .................... | 7. venir | .................... | 12. escuchar | .................... |
| 3. saber | .................... | 8. poner | .................... | 13. subir | .................... |
| 4. dar | .................... | 9. salir | .................... | 14. decir | .................... |

Right answers: ......... **out of 14**

## 2. *Estar* + gerund.
Change the sentences using the gerund.

0. Los chicos juegan al fútbol.          *Los chicos están jugando al fútbol.*

1. Pedro bebe un vaso de leche.          ....................................................

2. Mis padres comen en casa.            ....................................................

3. El tren llega a la estación.          ....................................................

4. Paseo por el parque.                  ....................................................

5. Se ducha con agua fría.               ....................................................

6. Hablan por teléfono.                  ....................................................

7. María escribe correos electrónicos.   ....................................................

Right answers: ......... **out of 7**

## 3. What's happening?
Complete the sentences with *estar* + gerund.

0. Este invierno no ....*está haciendo*.... (hacer) mucho frío.

1. Pedro ............................ (abrir) la tienda.

2. María ............................ (comer) en un restaurante.

3. Esta semana Andrés ............................ (trabajar) en una empresa de transportes.

4. Ahora en Canarias ............................ (hacer) bastante calor.

5. No quiero hablar, ............................ (escuchar) música.

6. ............................ (Ver - yo) un partido de tenis en la tele.

7. ............................ (Pensar - nosotros) en comprar un piso nuevo.

Right answers: ......... **out of 7**

## 4. Answering questions with *estar* + gerund.
Match the questions with the answers.

0. ¿Qué haces con esos globos?          a. Está jugando en el patio.

1. ¿Dónde está tu hermano?              b. Estoy preparando mi fiesta de cumpleaños.

2. ¿Qué día hace hoy?                   c. Estoy escribiendo una novela.

3. ¿Qué comes?                          d. Fatal. Está lloviendo mucho.

4. Y tu madre, ¿no está con vosotros?   e. No estoy comiendo, tengo un chicle en la boca.

5. ¿A qué te dedicas?                   f. Sí, está haciendo una paella en la cocina.

Right answers: ......... **out of 5**

## 5. What are you doing?
Choose the right verb and write sentences using *estar* + gerund.

| ver | abrir | afeitarse | estudiar | beber | conducir | hablar | escuchar | pintar | escribir |

0. *Estoy bebiendo* un zumo de naranja.

1. ........................ la tele.

2. ........................ para el examen de mañana.

3. ........................ un diario personal.

4. ........................ la barba.

5. ........................ un cuadro.

6. ........................ la ventana.

7. ........................ por teléfono con mi novio.

8. ........................ mi coche nuevo.

9. ........................ una canción de Ricky Martin.

Right answers: ........ out of

## 6. Making sentences with *estar* + gerund.
Put the words in order and write sentences as in the example.

0. el coche / lavar / mi hijo      *Mi hijo está lavando el coche.*

1. tomar / (nosotros) / un café con leche

2. a través de Internet / los alumnos / conversar

3. abrir / la tienda / Fátima

4. (yo) / en el supermercado / comprar

5. los alumnos / de clase / salir

6. Luis / una foto / hacer

7. en el sofá / el gato / dormir

8. las escaleras/ subir / la directora

9. los cuentos / los niños / leer

Right answers: ........ out of

## 7. At a party.
Fill in the dialogue with verbs from the box.

EDUARDO: Lola, ¿ *conoces* a Hans? Es un amigo alemán.

    LOLA: Encantada.

    HANS: Mucho gusto.

    LOLA: ¿Llevas mucho tiempo en España?

    HANS: Seis meses.

    LOLA: ¿Qué ................ en Madrid?

    HANS: ................ en una empresa alemana. Mira, están preparando sangría, ¿................ un vaso?

    LOLA: No gracias, no ................ alcohol.

    HANS: Este invierno ................ mucho en Madrid. ¿Es normal?

    LOLA: No, en Madrid no ................ mucho en invierno.

    HANS: Oye, allí está mi profesor de español. ................ con Eduardo. ¿Lo conoces?

    LOLA: No.

    HANS: Es muy simpático. ¿Te lo ................?

    LOLA: Claro.

| estoy trabajando | quieres |
| llueve  bebo | está hablando |
| conoces | presento |
| está lloviendo | estás haciendo |

Right answers: ........ out of

## 8. Looking for excuses.

Complete with a present tense or with *estar* + gerund.

0. ● ¿Me ....*ayudas*.... (ayudar - tú) a preparar la cena?
   ○ Lo siento, no ....*puedo*.... (poder - yo), *estoy terminando*. (terminar - yo) un informe para mañana.

1. ● Niños, ¿me ........................ (acompañar - vosotros) al supermercado?
   ○ Ahora no. ........................ (Ver - nosotros) un partido de fútbol en la tele.

2. ● ¿........................ (Venir - tú) al cine con nosotros?
   ○ ........................ (Preferir - yo) quedarme en casa. ........................ (Esperar - yo) una llamada de teléfono muy importante.

3. ● ¿ ........................ (Jugar - nosotros) un partido de tenis?
   ○ No, lo ........................ (sentir - yo). ........................ (Estudiar - yo). Mañana ........................ (tener - yo) un examen.

Right answers: ......... **out of 9**

## 9. An electoral campaign.

Write the gerunds of the verbs in brackets.

**Otras campañas electorales hablan del futuro, la nuestra habla del presente.**
**¿QUÉ ESTAMOS** ...*haciendo*... **(HACER) POR NUESTRA CIUDAD?**

Estamos ........$_1$...... (construir) nuevos hospitales.
Estamos ........$_2$...... (abrir) nuevos centros escolares.
Estamos ........$_3$...... (crear) puestos de trabajo.
Estamos ........$_4$...... (ayudar) a la pequeña empresa.
Estamos ........$_5$...... (ampliar) la red de metro.
Estamos ........$_6$...... (mejorar) el tráfico.
Estamos ........$_7$...... (proteger) el medio ambiente.
Estamos ........$_8$...... (plantar) árboles por toda la ciudad.

**¿Y TÚ? ¿QUÉ ESTÁS** ▓▓▓▓▓ **(HACER)?**
$_9$

Right answers: ......... **out of 9**

**I AM ALL EARS.** Listen to the dialogue.

28

Madre: Hola, Pablo.
Pablo: Hola, mamá.
Madre: ¿Dónde está papá?
Pablo: Está en la cocina. **Está preparando** la cena.
Madre: ¿Por qué no le ayudas?
Pablo: Es que **estoy estudiando**, mañana tengo un examen.

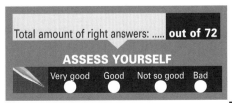

Total amount of right answers: ..... **out of 72**

**ASSESS YOURSELF**

| Very good | Good | Not so good | Bad |
| ● | ● | ● | ● |

Components:
# Ir a and acabar de

| FORM | USE |
|------|-----|
| *Ir a* + infinitive.<br>*acabar de* + infinitive. | Expressing future actions and actions that have just happened. |

¿Qué **van a tomar** los señores?

Yo, una paella

Y yo, cordero asado con ensalada.

## FORM

| Subject | Ir | | Acabar | |
|---------|-----|-----|--------|-----|
| yo | voy | | acabo | |
| tú | vas | | acabas | |
| él, ella, usted | va | **a** + infinitive | acaba | **de** + infinitive |
| nosotros, nosotras | vamos | | acabamos | |
| vosotros, vosotras | vais | | acabáis | |
| ellos, ellas, ustedes | van | | acaban | |

## USE

### Ir a + infinitive (going to):

**1.** It expresses the intention of doing something in the future.
- ¿Qué **vas a hacer** esta tarde?
- **Voy a ir** al cine.

**2.** It expresses an immediate future action as a logical result of present circumstances.
*Tengo calor, **voy a poner** el aire acondicionado.*

### Acabar de + infinitive (have just):

It expresses an action that has just happened.
- ¿Quieres un café?
- No, gracias. **Acabo de tomar** uno.

# Exercises

## 1. *Ir a* + infinitive
Change the sentences as in the example.

0. Tengo sueño y **acostarse**.  *Tengo sueño y voy a acostarme.*

1. **Llamar** (él) por teléfono a sus padres. ...............................................................

2. Llueve mucho y **coger** (ellos) el paraguas. ...............................................................

3. **Empezar** la conferencia. ...............................................................

4. Me duele el estomago y **tomar** algo. ...............................................................

5. ¿**Ir** de vacaciones (vosotros)? ...............................................................

6. El coche no funciona y **llamar** al mecánico (él). ..........................................................

7. Tenemos un examen y **estudiar** toda la noche. ........................................................

8. Esta tarde Juan **jugar** al tenis. ...............................................................

9. ¿**Limpiar** tú sola toda la casa? ...............................................................

Right answers: ......... **out of 9**

## 2. Let's be logical!
Complete the sentences with words from the box.
Use *ir a* + infinitive, as in the example.

| abrir | acostarse | beber |
|-------|-----------|-------|
| comer | ir | ponerse |
| | sentarse | |

0. Tengo calor. .....*Voy a abrir*..... la ventana.

1. Tengo sueño. .............................. pronto.

2. Tengo hambre. ......................... un bocadillo.

3. Tengo sed. ............................. una limonada.

4. Tengo frío. .............................. un abrigo.

5. Estoy cansada. ........................... en el sofá.

6. Estoy enfermo. .............................. al médico.

Right answers: ......... **out of 6**

## 3. Expressing purposes.
Complete the sentences with *ir a* + infinitive.

0. ● ¿Dónde vais?
   ○ .....*Vamos a comer*.... (Comer - nosotros) en un restaurante chino.

1. ● ¿Cuánto son 45 + 132?
   ○ No sé. ............................. (Buscar - yo) una calculadora.

2. ● ¿Qué pone en ese papel?
   ○ No sé. ............................. (Ponerse - yo) las gafas.

3. ● ¿Dónde está el hospital?
   ○ No sé. ............................. (Preguntar - nosotras) a ese policía.

4. ● ¿ ............................. (Bajar - usted) en la próxima parada?
   ○ No.

5. ● ¿Qué hacen Luis y Pedro?
   ○ ............................. (Preparar) la cena.

Right answers: ......... **out of 5**

## 4. *Acabar de* + infinitive.

Change the sentences as in the example.

0. Llaman a tu hermana por teléfono.

*Acaban de llamar a tu hermana por teléfono.*
......................................................................

1. El policía entra en el banco.
......................................................................

2. Comemos una paella de pollo.
......................................................................

3. Se va con sus amigos.
......................................................................

4. Escribo un correo electrónico.
......................................................................

5. ¿Salís de clase ahora?
......................................................................

6. Explican su biografía.
......................................................................

7. ¿Llegas a casa ahora?
......................................................................

Right answers: ......... out of

## 5. *Acabar de* or *ir a*?

Complete the sentences.

0. ¿Qué .....*vas a*..... hacer el mes que viene (tú)?

1. ¿Qué ................. estudiar el año próximo (él)?

2. Ya no funciona el ordenador. ................. estropearse.

3. No hay luz en toda la casa. ................. irse.

4. ¿Qué ................. hacer después del instituto (vosotros)?

5. Está en el hospital. ................. tener un pequeño accidente.

6. Tengo hambre. ................. comer algo.

Right answers: ......... out of

## 6. Using *acabar de* and *ir a*.

Read the dialogues and place them in the right column.

0. ● ¿Vienes a jugar al fútbol con nosotros?

   ○ No. Me duele mucho la cabeza, **voy a tomarme** una aspirina.

1. ● Después de clase **voy a ir** al cine. ¿Quieres venir tú también?

   ○ Vale. Te espero a la salida de clase.

2. ● Esta tarde **voy a comprar** la entrada para el concierto.
     ¿Te compro una?

   ○ Sí, gracias. Mañana te la pago.

3. ● Hace mucho frío. **Voy a poner** la calefacción.

   ○ Sí, yo también tengo mucho frío.

| Expressing intention of doing something in the future. | Expressing an immediate future action as a result of a present one. |
|---|---|
| | *Voy a tomarme una aspirina.* |

Right answers: ......... out of

## 7. Expressing an immediate future action as a logical result of present circumstances.

Match the columns and fill in the gaps.

0. Tengo sueño.
1. El coche de mi padre está muy viejo.
2. Mañana tienen un examen.
3. Tenemos hambre.
4. Está lloviendo mucho.
5. El niño tiene frío.
6. Estoy muy cansada.
7. La sopa está fría.

a. ................. comprarse uno nuevo (él).
b. ................. preparar la cena (nosotros).
c. ................. ponerle el abrigo (yo).
d. ...._Voy a_.... acostarme (yo).
e. ................. tomar el paraguas (nosotros).
f. ................. calentarla (ella).
g. ................. a estudiar todo el día (ellos).
h. ................. a descansar unos minutos (yo).

Right answers: ......... **out of 7**

## 8. Field trip to Segovia.

Read the day plan for the outing. Ask questions and answer them.

**Idiomas Globo**

**Excursión Fin de Curso a Segovia**

9.00 Salida en autobús desde la escuela.
10.15 Llegada a Segovia.
10.30 Visita al Alcázar.
11.30 Paseo hasta el Acueducto.
12.30 Visita a la Catedral.
13.30 Comida en un restaurante típico.
15.30 Tiempo libre.
17.00 Recorrido por las iglesias
románicas más representativas.
19.00 Regreso a Madrid.

0. Destino de la excursión.    _¿Dónde van a ir de excursión?_    _A Segovia._
1. Medio de transporte.
2. Hora de llegada a Segovia.
3. Visitas por la mañana.
4. Lugar de la comida.
5. Hora de la comida.
6. Visitas por la tarde.
7. Hora de regreso.

**I AM ALL EARS.** Listen to the dialogue.

- ¿Por qué estás tan contento?
- **¡Acabo de empezar** las vacaciones!
- ¿Qué planes tienes?
- **Voy a ir** con mi novia y con unos amigos a Ibiza.
- ¿A un hotel?
- No, **vamos a estar** en un apartamento.

Right answers: ......... **out of 7**

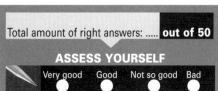

Total amount of right answers: ..... **out of 50**

**ASSESS YOURSELF**

Very good    Good    Not so good    Bad

# Expressions of obligation, prohibition and possibility

**16**

31

| FORM | USE |
|------|-----|
| *Tener que, hay que, poder* and *deber* + infinitive. | Expressing obligation, prohibition, necessity, possibility or permission. |

Lo siento, señor, en este restaurante **no se puede** fumar. **Tiene que salir** a la calle.

Bueno, **puedo esperar**.

## FORM

|  | **Tener** | **Haber** |  | **Deber** | **Poder** |  |
|--|-----------|-----------|--|-----------|-----------|--|
| yo | tengo |  |  | debo | puedo |  |
| tú | tienes |  |  | debes | puedes |  |
| él, ella, usted | tiene | hay | **que** + infinitive | debe | puede | + infinitive |
| nosotros, nosotras | tenemos |  |  | debemos | podemos |  |
| vosotros, vosotras | tenéis |  |  | debéis | podéis |  |
| ellos, ellas, ustedes | tienen |  |  | deben | pueden |  |

## USE

### *Tener que, deber* and *hay que* + infinitive:

1. They express the obligation or necessity of doing something.
   Me **tengo que** levantar todos los días a las seis de la mañana.

2. *Hay que* is an invariable expression and is used to express an obligation or a need in an impersonal way.
   En la biblioteca **hay que** hablar bajo (It is obligatory for everybody in general)
   Al cruzar la calle **hay que** tener mucho cuidado. (It is necessary for everybody, not for anybody in particular)

3. *Tener que* and *deber* express an obligation or need of the subject.
   **Tienes que** volver antes de las 10. (It is obligatory for you in particular)
   Hoy no **tienes que** trabajar. (You do not have to, it is not necessary for you)
   Con el semáforo rojo **debes** parar. (You have to, it is obligatory for you)
   **Debéis** comer más verduras. (You must, it is obligatory or advisable for you)

### *Poder* + infinitive:

1. It expresses permission or possibility (if it is affirmative) and prohibition or impossibility (if it is negative) for the subject.
   - ¿**Puedo** pasar? (Asking for permission)
   - Sí, pero no **puedes** hablar. (Prohibition)

2. To express permission or prohibition in an impersonal way we use *poder* preceded by *se* and in the third person singular.
   En los hospitales no **se puede** hablar muy alto.

# Exercises

## Expressions of obligation, prohibition and possibility

### 1. *Deber* and *tener que* + infinitive.
Rewrite the sentences as in the example.

0. Debes conducir más despacio.     *Tienes que conducir más despacio.*
1. Debéis llevar corbata a la fiesta.     ....................................................................
2. Debemos hacer más deporte.     ....................................................................
3. Debo trabajar un poco más deprisa.     ....................................................................
4. Deben pagar la factura de la electricidad.     ....................................................................
5. Debemos corregir nuestros errores.     ....................................................................
6. Debes pasar este texto al ordenador.     ....................................................................
7. Debéis cerrar los ojos.     ....................................................................

Right answers: ......... **out of 7**

### 2. *Hay que* and *tener que* + infinitive.
Underline the best option.

0. ¿Estás cansado? Entonces **tienes que** / hay que dormir.
1. No puedo salir. **Tengo que / Hay que** estudiar mucho.
2. En un incendio **tiene que / hay que** llamar a los bomberos.
3. No puedo acompañarte, **tengo que / hay que** quedarme con mis hermanos.
4. Perdona, me **tengo que / hay que** ir.
5. Para viajar a Chile **tiene que / hay que** llevar un visado.
6. Te veo mal de salud. **Tienes que / Hay que** ir al médico.
7. Para estar bien de salud **tiene que / hay que** comer mucha fruta y mucha verdura.

Right answers: ......... **out of 7**

### 3. Expressions of obligation and necessity quiz.
Tick the correct answer.

0. ........................... el coche al taller. ¿Quién lo lleva?
   ☐ Tienes que llevar     ☑ Hay que llevar
1. Voy a hablar con Silvia y contárselo todo. ........................... la verdad.
   ☐ Tiene que saber     ☐ Hay que saber
2. Estáis invitados. No ........................... traer nada.
   ☐ tenéis que     ☐ hay que
3. ........................... al perro a pasear. ¿Quién lo hace hoy, tú o yo?
   ☐ Tienes que sacar     ☐ Hay que sacar
4. Para hacer una buena tortilla de patatas ........................... varios huevos.
   ☐ tienes que poner     ☐ hay que poner
5. En verano ........................... mucha agua.
   ☐ tenemos que beber     ☐ hay que beber
6. No ........................... el examen. Ya estáis aprobados.
   ☐ tenéis que hacer     ☐ hay que hacer '

Right answers: ......... **out of 6**

# Exercises

**4.** *Se puede* or *no se puede?*
Complete the sentences.

0. Por la ciudad ......*no se puede*.... circular a más de 50 km/h. Es peligroso.

1. Por aquí ............................ pasar. Está prohibido.

2. En los hospitales ............................ hablar alto, molesta a los enfermos.

3. ● ¿En esta zona ............................ hacer una barbacoa?
   ○ Sí, claro.

4. Este ordenador ............................ utilizar libremente. Es para todos.

5. Con este teléfono ............................ llamar. No funciona.

6. ● Perdón, ¿............................ entrar ya?
   ○ Sí, adelante.

7. Este libro ............................ sacar de la biblioteca. Es solo para consultarlo aquí.

Right answers: ......... out of

**5.** *Poder* or *tener que* + infinitive?
Choose the best option.

0. Buenas tardes. Llegamos un poco tarde, pero ¿............................ pasar, por favor?
   ☑ podemos        ☐ tenemos que

1. Queda poca gasolina en el coche pero no ............................ echarle más porque no tengo dinero.
   ☐ puedo          ☐ tengo que

2. Es una fiesta de amigos, no ............................ llevar traje y corbata.
   ☐ puedes         ☐ tienes que

3. Lo siento, aquí no ............................ aparcar, está prohibido.
   ☐ pueden         ☐ tienen que

4. Hay un accidente en la carretera y ............................ llamar a la policía. ¿Hay teléfono aquí?
   ☐ puedo          ☐ tengo que

5. Si queréis, ............................ utilizar mi ordenador, ahora no lo uso.
   ☐ podéis         ☐ tenéis que

Right answers: ......... out o

**6.** **At the doctor's**
Match the problem with the doctor's advice.

0. Me duele la cabeza.              a. Tiene que hacer un régimen de 1.500 calorías.

1. Me canso mucho.                  b. Puede ponerse esta crema después de la ducha.

2. Estoy muy gordo.                 c. Tiene que tomarse una aspirina.

3. Tengo la piel muy seca.          d. Debe suprimir los cafés de la tarde.

4. Me duele la espalda.             e. Tiene que hacer gimnasia. Puede hacerla antes de acostarse.

5. Duermo muy mal por las noches.   f. Tiene que tomar vitamina B. Puede tomarla con el desayuno.

Right answers: ......... out

**7. The right expression for each situation.**

Choose the best option.

0.  • ¿Vienes a ver la exposición de Dalí?
    ○ Lo siento, es que...
    - ☐ a. hay que ir al dentista.
    - ☐ b. puedo ir al dentista.
    - ☑ c. tengo que ir al dentista.

1.  • En invierno, las carreteras con nieve son muy peligrosas.
    ○ Sí,...
    - ☐ a. hay que conducir con mucho cuidado.
    - ☐ b. puedo conducir con mucho cuidado.
    - ☐ c. tengo que conducir con mucho cuidado.

2.  • Mañana es el cumpleaños de mamá.
    ○ Sí, pero no tenemos dinero.
    • Entonces...
    - ☐ a. no hay que comprarle un regalo.
    - ☐ b. no podemos comprarle un regalo.
    - ☐ c. no tenemos que comprarle un regalo.

3.  • Siempre hago muy mal los exámenes.
    ○ Claro, es que estudias muy poco.
    - ☐ a. Hay que estudiar más.
    - ☐ b. Puedes estudiar más.
    - ☐ c. Tienes que estudiar más.

Right answers: ......... **out of 3**

**8. Traffic signs.**

Choose one verb from the box and write a sentence with *hay que* or *(no) se puede* under each traffic sign.

| aparcar girar (2) | dejar pasar | pararse | correr | ponerse | encender |
| adelantar | ir (2) | pasar | | | |

0. *Hay que dejar pasar.*

2. ............... las luces.

4. ...............

1. ............... el cinturón.

3. ...............

5. ............... a la derecha.

6. ............... en bicicleta.

**40**

8. ...............

**STOP**

10. ............... en bicicleta.

7. ............... a más de 40 km/h.

9. ...............

11. ...............

Right answers: ......... **out of 11**

**I AM ALL EARS.** Listen to the dialogue.

32

■ Últimamente fumo mucho, quiero dejar de fumar pero no sé cómo.
• Para dejar de fumar, primero **hay que proponérselo** seriamente.
• ¿Y después?
■ Después, **tienes que elegir** un día concreto. Antes de ese día, **puedes leer** ese libro de autoayuda para dejar de fumar.

Total amount of right answers: ..... **out of 51**

**ASSESS YOURSELF**

Very good   Good   Not so good   Bad

**Components:**

# Expressions with *empezar, volver* and *seguir*

**17**

33

| FORM | USE |
|---|---|
| *Empezar a* and *volver a* + infinitive, and *seguir* + gerund. | Expressing the beginning, repetition or continuation of an action. |

¿**Sigues trabajando** en la misma empresa?

No. Mañana **empiezo a trabajar** en una agencia de viajes.

¿Ah, sí? Pues mañana por la noche te **vuelvo a llamar** y me cuentas.

## FORM

| | Empezar | Volver | | Seguir | |
|---|---|---|---|---|---|
| yo | empiezo | vuelvo | | sigo | |
| tú | empiezas | vuelves | | sigues | |
| él, ella, usted | empieza | vuelve | **a** + infinitive | sigue | + gerund |
| nosotros, nosotras | empezamos | volvemos | | seguimos | |
| vosotros, vosotras | empezáis | volvéis | | seguís | |
| ellos, ellas, ustedes | empiezan | vuelven | | siguen | |

## USE

***Empezar a* + infinitive:**
It is used to express the beginning of an action.
***Empezamos a leer*** *el texto ahora.*

***Volver a* + infinitive:**
It is used to express the repetition of an action.
*Para entenderlo mejor* ***volvemos a leer*** *el texto.*

***Seguir* + gerund:**
It is used to express the continuation of an action.
¿***Seguimos leyendo*** *el texto hasta el final?*

# Exercises

## Expressions with *empezar, volver* and *seguir*

### 1. *Volver a* + infinitive.
Complete the sentences.

0. Primero lees el texto deprisa y después lo ...*vuelves a leer*... más despacio.

1. Se toma esta medicina por la mañana y por la noche se ........................... otra.

2. Nos bañamos en la piscina antes de comer y después nos ........................... .

3. Hacéis 15 minutos de gimnasia ahora y por la tarde ........................... otros 10 minutos, ¿vale?

4. Voy hoy, pero no ........................... nunca más.

5. Mi abuelo tiene mala memoria. Un día me explica una cosa y al día siguiente me la ........................... .

Right answers: ......... **out of 5**

### 2. *Empezar a* + infinitive.
Change the sentences as in the example.

0. Crecen las flores.      *Empiezan a crecer las flores.*

1. Los chicos salen del colegio. ..............................................

2. Ahora creemos en ti. ..............................................

3. Me molestas. ..............................................

4. Llueve un poco. ..............................................

5. Mañana voy a la piscina. ..............................................

6. ¿Cuándo trabajáis? ..............................................

7. Actúo en diez minutos. ..............................................

Right answers: ......... **out of 7**

### 3. *Seguir* + gerund.
Change the sentences as in the example.

0. Está escribiendo la carta.      *Sigue escribiendo la carta.*

1. Están durmiendo la siesta. ..............................................

2. ¿Estáis estudiando todavía? ..............................................

3. Estoy hablando por teléfono. ..............................................

4. ¿Estás leyendo el periódico? ..............................................

5. Estamos mirando el paisaje. ..............................................

6. ¿Está usted esperando al director? ..............................................

Right answers: ......... **out of 6**

### 4. *Empezar* and *seguir*.
Change the sentences as in the example.

0. Trabajo en un restaurante, pero estudio por las noches.
   *Empiezo a trabajar en un restaurante, pero sigo estudiando por las noches.*

1. Este año va a una academia, pero estudia español en la universidad.
   .......................................................................................................

2. Funciona el aire acondicionado, pero hace calor.
   .......................................................................................................

3. Sale el sol, pero todavía tengo frío.
   .......................................................................................................

4. La directora habla, pero la gente hace ruido.
   .......................................................................................................

Right answers: ......... **out of**

### 5. What a surprise!
Fill in the dialogue with phrases from the box.

| vuelvo a llevar | sigues trabajando | volver a verte | empiezo a trabajar | vuelvo a trabajar | sigo siendo |

**Sofía:** ¡Qué sorpresa, Matilde!

**Matilde:** Hola, Sofía, ¡qué alegría ......*volver a verte*......! ¿Qué haces aquí? ¿Cómo te va?

**Sofía:** Muy bien. Es que $._1$................................ en esta oficina.

**Matilde:** ¿De verdad? Otra vez en esta oficina. ¡Fantástico! Vamos a ser compañeras.

**Sofía:** ¿Tú $._2$............................. aquí?

**Matilde:** Claro. Llevo ya diez años.

**Sofía:** Pues yo $._3$............................... a partir del lunes. Nos vamos a ver todos los días.

**Matilde:** ¿En qué departamento vas a estar?

**Sofía:** Una vez más $._4$.............................. la gestión comercial. Ya sabes, es mi especialidad.
¿Y tú dónde estás? ¿Donde siempre?

**Matilde:** Sí, yo $._5$............................. la secretaria de dirección.

**Sofía:** Estupendo. Bueno, nos vemos el lunes.

Right answers: ......... **out o**

### 6. Finishing sentences.
Match the two columns.

0. Mi abuelo vuelve a repetir...
1. A las diez de la noche...
2. Se vuelve a comprar...
3. Vuelve a darnos la misma explicación...
4. Vuelven a vender...
5. Los periódicos empiezan a decir que...
6. Con los años Lucio empieza a...
7. Normalmente ese autobús...

a. empezamos a cenar todos juntos.
b. el piso de arriba.
c. la gasolina va a subir.
d. la misma historia de la guerra.
e. para ver si por fin lo entendemos.
f. perder energía, pero sigue siendo muy activo.
g. un móvil nuevo.
h. vuelve a pasar por esta parada a las 9.

Right answers: ......... **out o**

### 7. *Empezar* or *volver*?

Replace the time expressions by *empezar a* or *volver a*.

0. Trabaja por primera vez esta semana.     *Empieza a trabajar esta semana.*
................................................

1. Estudia otra vez 2º de Bachillerato. ................................................

2. Otra vez llegas tarde. ................................................

3. Este año estudia por primera vez idiomas. ................................................

4. Escucha de nuevo el mismo disco. ................................................

5. Llovió en ese momento, al salir de casa. ................................................

6. Se cae al suelo y se levanta de nuevo. ................................................

7. Hoy mismo leo el libro de Vargas Llosa. ................................................

8. Tiene una salud delicada. Otra vez está enfermo. ................................................

9. Mañana ponen los artículos en rebajas. ................................................

Right answers: ......... **out of 9**

### 8. Newspaper headlines.

Fill in the gaps using the phrases *empezar a, volver a*.

**DE NUEVO,** 0 *vuelven a* **OCUPAR LAS MANIFESTACIONES LAS CALLES DE LA CIUDAD**

**LOS PARTIDOS POLÍTICOS** 1 ......................... **PREPARAR LA CAMPAÑA ELECTORAL DE LAS PRÓXIMAS ELECCIONES GENERALES**

**EL LÍDER DE LA OPOSICIÓN** 2 ......................... **REPETIR SUS CRÍTICAS, PERO NADIE LAS ENTIENDE**

**YA ESTÁ AQUÍ LA PRIMAVERA Y** 3 ......................... **HACER CALOR OTRA VEZ**

**DESPUÉS DE LA EXPLOSIÓN, EL CIELO** 4 ......................... **CUBRIRSE DE UNA ESPESA NUBE DE HUMO**

**HOY TAMPOCO VA A HABER ACUERDO.** 5 ......................... **ROMPERSE LA NEGOCIACIÓN**

Right answers: ......... **out of 5**

**I AM ALL EARS.** Listen to the dialogue.

*(34)*

**Profesora:** Hoy, en los primeros minutos de la clase, **seguimos practicando** un poco cómo expresar la probabilidad en español.

**Alumno:** Profesora, por favor.

**Profesora:** Sí, dime, David, ¿qué quieres?

**Alumnos:** Una pregunta. ¿Y si **volvemos a hacer** el último ejercicio de ayer? **Seguimos teniendo** muchas dudas.

**Profesora:** Bueno, de acuerdo. David, ¿**empiezas** tú **a leer** tus frases?

Total amount of right answers: ..... **out of 48**

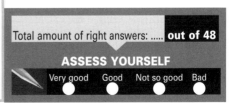

**ASSESS YOURSELF**

Very good    Good    Not so good    Bad

# Conjunctions

| FORM | USE |
|------|-----|
| *Y, e, o, u, pero.* | Relating elements and clauses. |

Look also at unit 19, level A1

35

¿Qué les pongo?

Un té **y** un café con leche, **pero** con la leche fría, por favor.

## FORM

| Words joining elements and clauses | |
|---|---|
| **y** | *Me gustan las comedias y las películas de terror.* |
| **e** | *Ramón e Isabel son hermanos.* |
| **o** | *¿Quiere usted té o café?* |
| **u** | *Hay diez u once platos para elegir.* |
| **pero** | *Esta flor es muy pequeña, pero bonita.* |

## USE

### Y, e (and):

1. They are used to add a word to another word or a clause to another clause.
   *Voy al cine y vuelvo tarde a casa.*

2. When there are more than two elements, *y* or *e* are included only before the last element.
   *Me gustan el cine, el teatro y el circo.*

3. *E* is used instead of *y* when the word coming immediately after begins with *i-* or *hi-*.
   *Hacemos una paella en mi casa e invitamos a unos amigos.*

### O, u (or):

1. They are used to indicate an alternative.
   *¿Estudiamos en casa o vamos a la biblioteca?*

2. *U* is used instead of *o* when the word coming immediately after begins with *o-* or *ho-*.
   *¿Son mujeres u hombres?*

### Pero (but):

1. It joins elements or ideas which are in contrast:
   *No habla español, pero lo entiende.*

2. It is usually preceded by a comma.

## 1. *Y* or *e?*

Complete the sentences with one of these.

0. Tienes que leer .....*Y*.... estudiar al mismo tiempo.
1. Este libro es muy interesante ........... está bien escrito.
2. La combinación de oxígeno ........... hidrógeno forma el agua.
3. Los grandes almacenes ........... hipermercados están a las afueras de la ciudad.
4. Manuel siempre llega el primero ........... elige el mejor sitio.
5. Viene con Pilar Jiménez ........... Isabel García.
6. Tengo que hacer actividades de léxico ........... ejercicios de gramática.
7. Me gusta mucho la asignatura de Geografía ........... Historia.
8. Mañana empieza una feria de sonido ........... imagen.
9. Todas sois muy guapas ........... elegantes.

Right answers: ......... **out of 9**

## 2. *O* or *u?*

Underline the correct option.

0. Voy a ver a Paco en Asturias, no sé si en Gijón **o** / **u** Oviedo.
1. Me da igual trabajar con Rafael **o** / **u** Óscar en esta investigación.
2. Quedamos el lunes **o** / **u** el martes, ¿vale?
3. El mejor momento para venir aquí es en septiembre **o** / **u** octubre.
4. ¿Nos sentamos en la terraza **o** / **u** en el interior?
5. El debate puedes verlo por televisión **o** / **u** oírlo por la radio.
6. ¿Te duelen los dientes **o** / **u** los oídos?
7. **O** / **U** organizamos bien las cosas **o** / **u** la fiesta no se puede hacer.
8. La conferencia es un desastre. Solo hay ocho **o** / **u** nueve personas.
9. Bueno, ya está bien: **o** / **u** os sentáis, **o** / **u** os vais.
10. Uno **o** / **u** otro día se va a dar cuenta de todo.

Right answers: ......... **out of 12**

## 3. Conjunctions quiz.

Tick the correct answer.

0. Es muy pequeña. Todavía tiene siete .......... ocho años.
   ☐ y      ☐ e      ☐ o      ☑ u
1. Habla muy bien francés .......... inglés.
   ☐ y      ☐ e      ☐ o      ☐ u
2. Normalmente llega el primero .......... prepara la sala para las conferencias.
   ☐ y      ☐ e      ☐ o      ☐ u
3. ¿Es vertical .......... horizontal?
   ☐ y      ☐ e      ☐ o      ☐ u
4. Esta semana juega uno de estos equipos: Francia .......... Italia.
   ☐ y      ☐ e      ☐ o      ☐ u
5. ¿Qué va a ser el bebé? ¿Niño .......... niña?
   ☐ y      ☐ e      ☐ o      ☐ u

6. Pedro .......... Inmaculada son los mejores de la clase.

☐ y      ☐ e      ☐ o      ☐ u

7. En este vagón caben setenta .......... ochenta personas.

☐ y      ☐ e      ☐ o      ☐ u

8. ¿Cómo se llama la mayor de las gemelas? ¿Ovidia .......... Olga?

☐ y      ☐ e      ☐ o      ☐ u

9. Este viaje es muy largo. Dura siete .......... ocho horas.

☐ y      ☐ e      ☐ o      ☐ u

10. ¿Cuándo vas a venir a casa? ¿El viernes .......... el sábado?

☐ y      ☐ e      ☐ o      ☐ u

Right answers: ......... out of

## 4. Giving and asking for information.
Match the two columns.

0. Voy al gimnasio los viernes y              a. te castigo, ¿qué prefieres?

1. Hace ya tres o                                   b. hijos.

2. Jaimito, o terminas la cena o             c. amor.

3. Hay una buena relación entre padres e      d. Holanda? No recuerdo.

4. Recorremos tiendas y tiendas y         e. inteligente. Tiene mucho éxito.

5. ¿Os quedáis con nosotros a cenar u     f. sábados por la tarde.

6. Es una mujer guapa e                    g. nunca compramos nada.

7. Es feliz. Tiene dinero y                h. ocho años.

8. Su hermano tiene siete u           i. os vais a casa?

9. ¿Dónde está Amberes? ¿En Bélgica u    j. cuatro años que no nos vemos.

Right answers: ......... out of

## 5. Conjunctions in everyday conversations.
Fill in the dialogues with *e /y, o/u*.

0. ● ¿Qué hacemos el fin de semana?

    ○ Podemos ir a la playa ....y..... a la montaña.

    ● No podemos ir a los dos sitios. ¿Qué prefieres? ¿Ir a la playa .....o..... a la montaña?

1. ● ¿A qué hora es la sesión?

    ○ A las siete ........... a las ocho. No me acuerdo.

    ● ¿Por qué no llamas al cine ........... lo preguntas?

2. ● ¿De dónde eres? ¿De Panamá ........... Honduras?

    ○ Soy de Panamá ........... vivo también en Panamá.

3. ● Está muy cerca. Podemos ir en autobús ........... luego a pie.

    ○ Estoy muy cansada. O vamos en nuestro coche ........... tomamos un taxi.

4. ● ¿Qué vas a hacer ahora? ¿Trabajar ........... seguir estudiando?

    ○ Voy a trabajar ........... seguir estudiando.

    ● ¿Las dos cosas? No vas a tener tiempo para ti.

Right answers: ......... out o

## 6. Connecting ideas.

Complete the sentences with *y, o, pero*.

0. Este alumno escribe redacciones muy buenas
   ...*pero*... muy cortas.
   .....*o*..... muy malas. Depende del día.
   .....*y*..... sin faltas de ortografía.

1. Natividad Ponce es pintora
   ............ una gran escultora.
   ............ escritora, no me acuerdo.
   ............ no vende ni un cuadro.

2. Silvia está enamorada de Ricardo
   ............ él no está enamorado de ella.
   ............ de Mario, no estoy segura.
   ............ de Jorge. Los quiere a los dos.

3. Vamos a pasar la noche en un hotel
   ............ en un cámping. Según el precio.
   ............ en uno barato.
   ............ mañana seguimos el viaje.

4. Este pantalón es bonito
   ............ feo. Según la camisa que te pongas.
   ............ no te lo compro porque es muy caro.
   ............ va bien con la camisa.

5. Mi hijo quiere estudiar Derecho
   ............ no quiere ser abogado.
   ............ tener su bufete de abogado.
   ............ Medicina. Todavía no se decide.

Right answers: ......... out of 15

## 7. Planning the weekend.

Complete the sentences with *y, o, pero*.

● ¿Vamos a Andorra este fin de semana? Podemos esquiar ...*y*..... después hacer compras.
○ Es una buena idea, ....[1]..... no puedo. Tengo mucho trabajo.
● ¿Los dos días ....[2]..... solo el sábado?
○ Pues todo el sábado ....[3]..... también el domingo por la mañana.
● Entonces el domingo por la tarde podemos ir al cine ....[4]..... al teatro.
○ ¿Y un concierto?
● Hay un concierto estupendo en el Liceo, ....[5]..... ya no quedan entradas.
○ Vaya. Entonces vamos al cine ....[6]..... cenamos fuera.
● Vamos al cine ....[7]..... no cenamos fuera. Es que tengo que acostarme pronto.
○ Vale.

Right answers: ......... out of 7

**I AM ALL EARS.** Listen to the dialogue.

36

**Camarero:** ¿Van a tomar el plato del día?
**Cliente 1:** Sí. ¿Qué tienen hoy?
**Camarero:** De primero hay ensalada de la casa, crema de verduras **o** macarrones. **Y** de segundo, filete con patatas, merluza en salsa verde **o** pollo asado.
**Cliente 1:** Yo quiero crema de verduras **y** filete.
**Cliente 2:** Yo quiero lo mismo, **pero** el filete sin patatas.
**Camarero:** ¿Van a tomar postre **o** café?
**Cliente 1:** Yo un postre de la casa.
**Cliente 2:** **Y** yo un café con leche, **pero** con la leche fría.

Total amount of right answers: ..... out of 70

**ASSESS YOURSELF**

Very good    Good    Not so good    Bad

77

Components:
# Verbs of feelings and emotions

**19**

Look also at unit 16, level A1

| FORM | USE |
|---|---|
| Gustar, parecer, molestar, interesarse, etc. | Expressing likes and feelings. |

**37** ¿**Te gusta** esta camisa?

No mucho, **me parece** un poco clásica. **Me gusta** más la otra.

## FORM

**General rule:** They always follow an indirect object pronoun and are used in the third person singular or plural, depending on the subject.

**Me gusta** (mucho) el cine.    **Me duele** (un poco) la cabeza.
**Me molestan** las moscas en verano.    Estos libros **me parecen** (muy) interesantes.

| Personal pronouns | | verbs in the singular or plural | | |
|---|---|---|---|---|
| A mí | Me | **gusta** | | + singular noun |
| A ti | Te | **duele** | (+ adverb of quantity: *mucho, bastante, poco...*) | **Me gusta** (mucho) el tenis. |
| A él, ella, usted | Le | **molesta** | | + infinitive |
| | | | | **Me gusta** jugar al tenis. |
| A nosotros, nosotras | Nos | **gustan** | | + plural noun |
| A vosotros, vosotras | Os | **duelen** | | **Me gustan** los deportes. |
| A ellos, ellas, ustedes | Les | **molestan** | | |

| Personal pronouns | | parecer | | |
|---|---|---|---|---|
| A mí | Me | | | + singular noun or infinitive |
| A ti | Te | **parece** | (+ adverb of quantity: *muy...*) | + adjective |
| A él, ella, usted | Le | | | Este tema **me parece** (muy) fácil. |
| A nosotros, nosotras | Nos | | | + adverbs *bien* and *mal* |
| A vosotros, vosotras | Os | **parecen** | | + plural noun |
| A ellos, ellas, ustedes | Les | | | **Me parecen** bien sus planes. |

Other verbs which follow the same pattern: *encantar, doler, molestar, apetecer, interesar, preocupar...*
**Me encantan** las películas de terror.    **Me apetece** un plato de macarrones.

## USE

**1.** With a singular noun or an infinitive, they are used in the third person singular; with a plural noun, they are used in the third person plural.
(A mí) **me gusta** mucho la música clásica.
(A mí) **me gusta** escuchar música clásica.
(A mí) **me gustan** los discos de flamenco.

**2.** The noun is always preceded by a determiner.
**Me duele** un dedo. / **Me duele** este dedo.

**3.** They are usually followed by an adverb of quantity (*mucho, bastante, poco...*).
**Me molesta** bastante llegar tarde.

**4.** The use of *a mí, a ti*, etc. is not necessary unless:
a) We want to emphasize the indirect object.
**A mí** me interesa mucho este puesto de trabajo.

b) We want to mark a contrast.
● Me encanta este hotel.
○ Pues **a mí** no me gusta nada.

c) We want to make it clear who we are talking about.
¿Le gusta viajar?    ¿**A él** le gusta viajar?
¿**A ella** le gusta viajar?
¿**A usted** le gusta viajar?

*Gustar* and *parecer*.
The verb *gustar* expresses tastes and never goes with adjectives of appraisal. The verb *parecer* expresses opinions and always goes with an adjective of appraisal or adverbs *bien* and *mal*.
A mí **me gusta** mucho el flamenco, **me parece** muy interesante.

# Exercises

## Verbs of feelings and emotions

### 1. *A* + pronouns.
Complete with the right pronoun or pronouns.

0. ¿A _ustedes / ellos / ellas_ les parece normal el ruido de los vecinos?
1. A ........................................ nos gusta vivir en el centro de la ciudad.
2. ¿A ........................................ te gusta quedarte en casa los domingos por la tarde?
3. A ........................................ me parece muy divertido esquiar en Los Pirineos.
4. ¿A ........................................ os gusta la comida mexicana?
5. A ........................................ le parece interesante este programa?

Right answers: ........ **out of 5**

### 2. The verb *gustar*.
Complete with the pronoun + *gusta / gustan*.

0. ¿A ti _te gustan_ los muebles de diseño?
1. ¿A ella .................... las novelas de aventuras?
2. A los niños no .................... dormir la siesta.
3. A tus amigos .................... mucho hacer excursiones.
4. A mis padres .................... los pueblos pequeños de la costa.
5. ¿A ustedes .................... las reuniones de empresa?
6. A nosotras .................... hacer fotografías.
7. ¿A vosotros .................... la paella valenciana?
8. A Damián .................... mi ordenador portátil.

Right answers: ........ **out of 8**

### 3. The verb *parecer*.
Answer the questions as in the example.

0. • ¿Qué os parece salir por la noche? (peligroso)  ○ _Nos parece peligroso._
1. • ¿Qué te parecen estos libros? (aburridos)  ○ ....................................................
2. • ¿Qué les parece a ellas el turismo rural? (interesante)  ○ ....................................................
3. • ¿Qué os parecen las playas del Caribe? (limpias)  ○ ....................................................
4. • ¿Qué le parece a usted esta ciudad? (tranquila)  ○ ....................................................
5. • ¿Qué te parece comer en ese restaurante? (caro)  ○ ....................................................
6. • ¿Qué te parece cenar a las 12 de la noche? (mal)  ○ ....................................................
7. • ¿Qué os parece conocer a gente por Internet? (bien)  ○ ....................................................

Right answers: ........ **out of 7**

### 4. Singular or plural?
Put the verbs in brackets in the right form.

0. A mi padre siempre le (doler) _duele_ la cabeza.
1. ¿Sabes? Me (apetecer) ............... un bocadillo de jamón.
2. Me (encantar) ............... leer libros en el metro.
3. A tu hermano le (interesar) ............... mucho la ecología.
4. A los extranjeros les (encantar) ............... la paella y el gazpacho.
5. ¿Os (molestar) ............... hablar de vuestra vida personal?
6. Nos (preocupar) ............... la salud de nuestros hijos.
7. ¿Os (apetecer) ............... tomar una limonada?

Right answers: ........ **out of 7**

### 5. Expressing likes and dislikes.

Complete the dialogues with *querer, gustar or parecer* and the right pronoun.

0. *Haciendo planes para la tarde*
   - ¿Vamos esta tarde a ver una película de terror?
   - No, a mí no ....*me gusta*.... ver ese tipo de películas. ...*Me parecen*.. muy desagradables.

1. *Eligiendo el postre en el restaurante*
   - ¿Ustedes ...................... tarta de chocolate de postre?
   - A mí no ...................... el chocolate, prefiero fruta.
   - Pues yo sí ...................... una tarta de chocolate.

2. *El futuro de los hijos*
   - ¿Tu hijo va a ser ingeniero como tú?
   - No, mi hijo no ...................... ser ingeniero. No ...................... , ...................... muy difícil.

3. *En una tienda de ropa*
   - ¿A usted ...................... estos pantalones azules?
   - No, no ...................... , ...................... muy anchos. ...................... unos más estrechos.

4. *No tienen los mismos gustos musicales*
   - ¿Tú ...................... venir mañana conmigo a un concierto de hip-hop?
   - No, el hip-hop no ...................... nada. ...................... una música muy monótona.

### 6. Expressing likes and feelings.

Right answers: ......... **out of**

Complete the sentences with verbs from the box.

0. A mi hijo le ...*gustan*.. mucho los caramelos de fresa.
1. - ¿Te .............. un plato de paella ahora?
   - No, gracias, ahora no tengo hambre.
2. - Estás triste. ¿Te .............. algo?
   - No, es que me .............. mucho las muelas.
3. - Perdona, ¿te .............. el aire acondicionado?
   - Sí, tengo frío.
4. Somos tus padres. A nosotros nos .............. tus problemas.

| | |
|---|---|
| **gustan** | **preocupa** |
| **duelen** | **molesta** |
| **apetece** | **interesan** |

Right answers: ......... **out of**

### 7. This couple does not share the same interests. They disagree on everything.

Look at the words expressing contrast in the box and complete the answers.

| Contrast between *También and Tampoco* | | |
|---|---|---|
| **Adverb** | **Meaning** | **Example** |
| **También** | Expressing agreement | ☺ A mí me encanta el cine. ☺ A mí también. |
| **Tampoco** | | ☹ A mí no me gusta el café. ☹ A mí tampoco. |
| **Sí** | Expressing disagreement | ☹ A mí no me gusta salir. ☺ A mí sí. |
| **No** | | ☺ A mí me encanta la paella. ☹ A mí no. |

0. ● A mí me encanta la ópera.    ○ *A mí no* .
1. ● A mí no me gustan nada los deportes.    ○ ............................... .
2. ● A mí no me interesan las noticias de política.    ○ ............................... .
3. ● A mí me gusta mucho leer.    ○ ............................... .
4. ● A mí me preocupa mucho la economía del país.    ○ ............................... .
5. ● A mí no me gusta el cine español.    ○ ............................... .
6. ● A mí me parece divertido ir al zoo.    ○ ............................... .
7. ● A mí no me interesan los debates en televisión.    ○ ............................... .

**Right answers: ........ out of 7**

**8.** **This other couple shares the same interests. They agree on everything.**
Complete the answers.

0. ● A mí me encanta la ópera.    ○ *A mí también* .
1. ● A mí no me gustan nada los deportes.    ○ ............................... .
2. ● A mí no me interesan las noticias de política.    ○ ............................... .
3. ● A mí me gusta mucho leer.    ○ ............................... .
4. ● A mí me preocupa mucho la economía del país.    ○ ............................... .
5. ● A mí no me gusta el cine español.    ○ ............................... .
6. ● A mí me parece divertido ir al zoo.    ○ ............................... .
7. ● A mí no me interesan los debates en televisión.    ○ ............................... .

**Right answers: ........ out of 7**

**9.** **Conversation between two students.**
Complete the sentences with the verb *gustar* and with *a mí, a ti, a él*, if necessary.

0. ● ¿ *Te gusta* .... estudiar en la biblioteca o en casa?
   ○ Yo prefiero en la biblioteca. En casa siempre hay mucha gente.
   ● ....... *A mí* ....... también ... *me gusta* .... más estudiar en la biblioteca, .... *me gusta* .... reunirme con los compañeros de la universidad y comentar las dudas.
1. ● ¿Qué ..................... más, estudiar por la mañana o por la tarde?
   ○ Yo prefiero venir temprano. ..................... más estudiar por la mañana.
   ● ..................... también. No ..................... nada salir de noche de la biblioteca.
2. ● ¿Qué momento del día ..................... más para reunirte con tus compañeros de la universidad?
   ○ ..................... por la mañana, pero a mis compañeros ..................... más por la tarde, antes de volver a casa.
   ● ..................... tampoco ..................... por la tarde. Afortunadamente a mis compañeros tampoco ..................... reunirse a esa hora.

**Right answers: ........ out of 10**

**I AM ALL EARS.** Listen to the dialogue.

- ¿Qué **os gusta** hacer a vosotros?
- ● Mi marido y yo tenemos gustos muy diferentes. **A mí me encanta** la ópera, pero **a él no le gusta** nada, **le parece** muy aburrida. **A mí no me gusta** bailar, pero **a él le encanta**.
- ¿Entonces no salís nunca?
- ● Sí, vamos juntos a museos, **nos interesa** mucho el arte.

**Total amount of right answers: ..... out of 69**

**ASSESS YOURSELF**

Very good    Good    Not so good    Bad

## Components:
# Indefinite past

**20**

| FORM | USE |
|---|---|
| Regular and irregular verbs. | Talking about past events and appraising them. |

¿Qué **hiciste** ayer?

**Estuve** toda la mañana en la oficina. **Fui** a comer con unos clientes. **Terminamos** de comer a las cinco y **volví** otra vez a la oficina. **Fue** un día bastante aburrido.

## FORM

### Indefinite past: regular verbs

| | -ar | -er, -ir | hablar | beber | vivir |
|---|---|---|---|---|---|
| yo | -é | -í | hablé | bebí | viví |
| tú | -aste | -iste | hablaste | bebiste | viviste |
| él, ella, usted | -ó | -ió | habló | bebió | vivió |
| nosotros, nosotras | -amos | -imos | hablamos | bebimos | vivimos |
| vosotros, vosotras | -asteis | -isteis | hablasteis | bebisteis | vivisteis |
| ellos, ellas, ustedes | -aron | -ieron | hablaron | bebieron | vivieron |

**Notes:**

1. Stress is sometimes the only way to tell the difference between tenses:
Present: *(yo) hablo*
Past: *(él) habló*

2. The first person plural of the verbs ending in *–ar* and *–ir* is the same in the present and the indefinite past. Only the context allows us to tell one from the other.
***Escribimos** un correo y nos vamos.* (Present)
*El otro día le **escribimos** un correo y no contestó.* (Past)

3. Verbs including diphthongs in the present tense do not include them in the indefinite past.
*Cierro la ventana. > **Cerré** la ventana.*

### Indefinite past: irregular verbs

| | hacer | ser / ir | dar | estar | tener |
|---|---|---|---|---|---|
| yo | hice | fui | di | estuve | tuve |
| tú | hiciste | fuiste | diste | estuviste | tuviste |
| él, ella, usted | hizo | fue | dio | estuvo | tuvo |
| nosotros, nosotras | hicimos | fuimos | dimos | estuvimos | tuvimos |
| vosotros, vosotras | hicisteis | fuisteis | disteis | estuvisteis | tuvisteis |
| ellos, ellas, ustedes | hicieron | fueron | dieron | estuvieron | tuvieron |

**Notes:**

1. *Ir* and *ser* have the same forms in the indefinite past.
2. These irregular indefinite past forms do not carry a written accent.

## USE

1. To narrate past events. It is usually used with expressions such as *ayer, la semana pasada, el año pasado...*
*Me **compré** este vestido ayer.*

2. To provide information about events that happened at a specific moment in the past.
*Me **casé** el 20 de mayo de 1990.*

3. To appraise past events.
*La clase **fue** muy divertida.*

4. It is very often used in stories and biographies.
*Rubén **nació** en Santander, pero **trabajó** y **vivió** en Madrid.*

# Exercises

## 1. From present to past.

Put the verbs in the indefinite past.

0. Compro fruta. .....*Compré fruta.*.....
1. Veo una película. ..........................
2. Cierra la puerta. ..........................
3. Me aburro en casa. ..........................
4. Vemos la tele. ..........................
5. Viajo por España. ..........................
6. Cuenta mentiras. ..........................
7. Esperamos el autobús. ..........................
8. Escriben poesías. ..........................
9. Se pasea por el parque. ..........................
10. Entienden la pregunta. ..........................
11. Estudiáis mucho. ..........................
12. Pretende hacerlo. ..........................
13. Escuchamos la radio. ..........................
14. Enciende la luz. ..........................
15. Alquilan un piso. ..........................
16. Encuentra la calle. ..........................
17. Escuchas música. ..........................
18. Te bañas en el mar. ..........................
19. Resolvemos el problema. ..........................
20. Vuelves a casa. ..........................
21. Subes las escaleras. ..........................

Right answers: ......... **out of 21**

## 2. Identifying tenses.

Tick the tense each verb corresponds to and write the infinitive. Remember the verbs can have the same form for both tenses.

| Form | Present | Indefinite past | Infinitive | Form | Present | Indefinite past | Infinitive |
|------|---------|-----------------|------------|------|---------|-----------------|------------|
| 0. como | × | | *comer* | 6. comimos | | | |
| 1. salieron | | | | 7. bailo | | | |
| 2. estudió | | | | 8. saludé | | | |
| 3. vivimos | | | | 9. pasó | | | |
| 4. hablamos | | | | 10. entramos | | | |
| 5. esperó | | | | 11. corrimos | | | |

Right answers: ......... **out of 11**

## 3. What happened?

Answer the questions.

0. ● ¿Adónde fuiste el domingo? ○ .....*Fui*..... al cine con mis amigos.
1. ● ¿Qué hiciste el verano pasado? ○ .............. un viaje por América del Sur.
2. ● ¿Cuándo llegaste de Perú? ○ .............. la semana pasada.
3. ● ¿Dónde estuvieron tus padres de vacaciones? ○ .............. en un pequeño pueblo.
4. ● ¿Qué tal lo pasasteis el fin de semana? ○ Lo .............. muy bien.
5. ● ¿A qué hora se fueron tus amigos? ○ No sé, pero se .............. muy tarde.

Right answers: ......... **out of 5**

## 4. Irregular verbs.
Write the sentences in the past.

0. Tienes razón. ..............*Tuviste razón*..............
1. María va al cine. .........................................
2. Hago todos los ejercicios del cuaderno.
...............................................................
3. El avión no llega a su hora. .........................
4. Hace las cosas muy deprisa. .......................
5. Soy camarero. .............................................

6. Juan está muy contento. ............................
7. Se va de vacaciones a América. ..................
8. Rosendo no está contento. .........................
9. Pedro tiene mucho trabajo. .........................
10. No hace nada. .............................................
11. Hacemos las camas. ....................................

Right answers: ......... out o

## 5. Yesterday was different.
Change the present tenses into indefinite pasts.

| Normalmente... | Pero ayer... |
|---|---|
| 0. Me levanto a las siete y media. | ...........*Me levanté*........... a las nueve. |
| 1. Desayuno en una cafetería. | .......................... en casa. |
| 2. Estoy toda la mañana en la oficina. | .......................... de compras en un centro comercial. |
| 3. Como a las dos en casa. | .......................... en un restaurante con unos amigos. |
| 4. Vuelvo al trabajo a las tres y media. | .......................... a casa a dormir la siesta. |
| 5. Voy a trabajar hasta las seis. | .......................... a dar un paseo por el parque. |
| 6. Después voy al supermercado a comprar la cena. | .......................... a una agencia de viajes a reservar un viaje a Egipto. |
| 7. Ceno, veo un rato la tele y me acuesto. | .......................... (invitar) a mi familia a cenar en un restaurante. |

8. ¡Ayer (ser) .......................... mi primer día de jubilado!

Right answers: ......... out o

## 6. A glimpse at famous Spanish people: their first successes.
Match the columns and fill in the gaps with the indefinite past.

0. Fernando Alonso
1. Pedro Almodóvar
2. Carlos Ruiz-Zafón
3. Rafa Nadal
4. Antonio Banderas
5. Alejandro Sanz
6. Raúl González

a. (Escribir) ................ su primera novela, *El príncipe de la niebla*, en 1993.
b. (Grabar) ................ su primer disco, *Viviendo deprisa*, en 1991.
c. (Jugar) ................ con solo 17 años su primer partido en el Real Madrid en 1994.
d. (Rodar) ................ su primera película en Estados Unidos, *Los reyes del mambo tocan canciones de amor*, en 1992.
e. (Ganar) ......*Ganó*...... su primer título mundial de Fórmula 1 en 2005.
f. (Hacer) ................ su primera película, *Pepi, Luci, Bom y otras chicas del montón*, en 1980.
g. (Ganar) ................ su primer torneo de tenis a los 8 años, en 1994.

Right answers: ......... out o

## 7. Cristina's schedule on past june17.

Choose the right verb and complete the sentences with the indefinite past.

**Agenda**

**Martes 17 de junio**
10.00 Reunión con un cliente.
12.00 Pediatra con la niña.
14.00 Comida con el director de R.R.H.H.
16.00 Informe a "Equifass".
18.00 Entrevista con la profesora de la niña.
19.00 Clase de alemán.
21.00 Cena con unos compañeros de la universidad.

[+] [Editar]

| enviar | cenar | comer | reunirse |
|--------|-------|-------|----------|
| | _tener_ | llevar | ir |

**0.** A las diez   *tuvo una reunión con un cliente.*

**1.** A las doce   ..........................................

**2.** A las dos   ..........................................

**3.** A las cuatro   ..........................................

**4.** A las seis   ..........................................

**5.** A las siete   ..........................................

**6.** A las nueve   ..........................................

Right answers: ......... **out of 6**

## 8. Miguel de Cervantes biography.

Fill in the blanks with an indefinite past form.

(Nacer) ....*Nació*.. el 29 de septiembre de 1547 en Alcalá de Henares, Madrid. De pequeño (vivir) .............. y (estudiar) .............. en distintas ciudades españolas. Cuando (cumplir) .............. veinte años, se (ir) .............. a Roma y (recorrer) .............. toda Italia. En 1571 (participar) .............. en la batalla de Lepanto y allí (perder) .............. el movimiento del brazo izquierdo, por eso lo (llamar) .............. el Manco de Lepanto. Ya en España (casarse) .............. con Catalina de Salazar y Palacios. (Publicar) .............. su primer libro, *La Galatea*, pero no (tiene) .................. éxito. Se (marchar) .............. a Sevilla para trabajar de recaudador de impuestos. Allí lo (meter, ellos) .............. en la cárcel por errores en las cuentas. En la cárcel (empezar) .............. a escribir *Don Quijote de la Mancha*. Después se (trasladar) .............. a Valladolid, donde (escribir) .............. una serie de novelas cortas que (reunir) .............. en una colección llamada *Novelas ejemplares*. Pero la fama le (llegar) .............. con la publicación de la primera parte de *Don Quijote de la Mancha*, en 1605. La segunda parte (aparecer) .............. en 1615. Y en 1617 las dos partes se (publicar) .............. juntas en Barcelona. El éxito literario no ........... (librar) a Cervantes de sus dificultades económicas. (Ser) .............. pobre hasta su muerte en 1616.

Right answers: ......... **out of 22**

**I AM ALL EARS.** Listen to the dialogue.

40

● ¿Tus padres **nacieron** en España?

■ Mi madre sí **nació** en España, en Granada. Pero mi padre, no. Mi padre es de Marruecos. **Llegó** de joven a España para estudiar medicina. El último año de la carrera **conoció** a mi madre, **se casaron** y **se quedaron** a vivir en Granada. ¿Y los tuyos, son españoles?

● Sí, los dos son españoles, pero los padres de mi madre **nacieron** en Cuba.

Total amount of right answers: ..... **out of 90**

**ASSESS YOURSELF**

| Very good | Good | Not so good | Bad |
|-----------|------|-------------|-----|
| ● | ● | ● | ● |

# Present perfect

| FORM | USE |
|---|---|
| Verb *haber* + participle | Talking about past events which are related to the present. |

¿Por qué llegas tan tarde?

Porque **he tenido** mucho trabajo en la oficina.

## FORM

**General rule:**

The present perfect (called "past perfect" in Spanish because it expresses past events) is formed with the present tense of the verb *haber* and the past participle of the verb (in Spanish we only use the term "participle" for the past participle).
*Hoy **he comido** mucho. Vosotros también **habéis comido** mucho.*
The form of the participle is invariable (no change of gender or number).
*Hemos **comido** una manzana.*
The participle always goes immediately after the verb *haber*.
*He ~~mucho~~ dormido. **He dormido** mucho.*

### Present perfect

| | Present of *haber* | + participle |
|---|---|---|
| yo | he | |
| tú | has | |
| él, ella, usted | ha | habl**ado** |
| nosotros, nosotras | hemos | com**ido** |
| vosotros, vosotras | habéis | viv**ido** |
| ellos, ellas, ustedes | han | |

| Formation of the regular participle | | |
|---|---|---|
| **Infinitive ending in** | **Participle ending in** | **Examples** |
| -ar | **-ado** | hablar > habl**ado** |
| -er | **-ido** | comer > com**ido** |
| -ir | | vivir > viv**ido** |

### Irregular participles

**abrir:** abierto
**decir:** dicho
**escribir:** escrito
**hacer:** hecho
**morir:** muerto
**poner:** puesto
**romper:** roto
**ver:** visto
**volver:** vuelto

**Notes:**
If the stem of the verb ends in –*a*, –*e* or –*o*, the participle carries a stress on the *i* of the ending.
*caer: caído      leer: leído oír: oído*
*reír: reído       traer: traído.*

## USE

**1.** To narrate past events within an unfinished time unit. It is usually used with expressions such as *hoy, esta semana, este mes, este año...*
*Este año **he estudiado** alemán.*

**2.** To narrate very recent past events.
***He comprado*** *esta camisa hace diez minutos.*

**3.** To explain that an expected event has happened, preceded by *ya*.
***Ya ha terminado*** *el partido de fútbol.*

**4.** To express, with *todavía / aún no*, that an expected event has not taken place, but that it is intended to.
  ● *¿**Has preparado** la cena?*
  ■ *No, todavía no.*

**5.** To talk about past experiences and activities without specifying when they were carried out.
  ● *¿**Has estado** en México alguna vez?*
  ■ *Sí, **he estado** varias veces.*

# Exercises

## 1. Forming the present perfect.

Complete the sentences using the present perfect.

0. Ernesto se .....*ha comprado*..... un coche esta tarde. (comprar)

1. Los estudiantes ............................. muchas palabras nuevas hoy (aprender).

2. Pedro ............................. a los abuelos este verano (visitar).

3. Mis padres ............................. a la Costa del Sol este invierno (ir).

4. ¿No ............................. nada (entender - tú)?

5. Los chicos ............................. un profesor particular a sus padres (pedir).

6. María, ¿cuántas horas ............................. esta noche (dormir)?

Right answers: ......... **out of 6**

## 2. What has happened? (1)

Match the two columns.

0. Pedro no ve bien.                    a. El padre ha muerto.

1. Está muy contento.                   b. Ya he hecho la tortilla.

2. Vamos a comer.                       c. Han abierto las puertas.

3. Hay un drama en la familia.          d. Le ha escrito su novia.

4. Ya podemos entrar.                   e. Ha roto las gafas.

5. Ya lo sabe.                          f. Se lo he dicho todo.

Right answers: ......... **out of 5**

## 3. What has happened? (2)

Match the columns and complete the sentences with a present perfect form.

| ir | poner | morir | oír | **ganar** | comer |
|---|---|---|---|---|---|

0. Está muy contento.          a. ............................. a la peluquería.

1. Tenemos miedo.              b. Su equipo .....*ha ganado*..... .

2. Tengo hambre.               c. Se ............................. su gato.

3. Está muy guapa.             d. No se ............................. el abrigo.

4. Están muy tristes.          e. No ............................. nada en todo el día.

5. Tiene frío.                 f. ............................. ruidos extraños en el piso de arriba.

Right answers: ......... **out of 5**

# Exercises

### 4. The present perfect in everyday conversations.
Complete the dialogues.

0. ● ¿..*Has puesto*.... la calefacción esta mañana?   ○ Sí, la ...*he puesto*.... porque hace frío (poner).

1. ● ¿........................ a Fernando hoy?   ○ Sí, lo ........................ hace un momento (ver).

2. ● ¿........................ la carta a tus padres?   ○ Sí, la ........................ esta misma tarde (escribir).

3. ● ¿........................ la compra para el fin de semana?   ○ Sí, la ........................ en el Corte Inglés (hacer).

4. ● ¿........................ los gastos de estas vacaciones?   ○ Sí, lo ........................ todo (calcular).

5. ● ¿........................ el paquete del regalo?   ○ Sí, lo ........................ con papel blanco (envolver).

Right answers: ........ **out of**

### 5. Speaking about what has happened today.
Fill in the gaps with a present perfect.

0. Hoy no te ......*he visto*...... en todo el día (ver - yo).

1. ¿Quién ........................ estas cosas aquí (poner)?

2. En la reunión de empresa, Miguel ........................ a todos (oponerse).

3. Varias personas ........................ en un accidente de tráfico (morir).

4. Los niños ........................ los cristales de la ventana (romper).

5. Todavía no ........................ el correo que nos has enviado (leer - nosotros).

6. Le ........................ toda la verdad (decir - ellas).

7. ........................ los deberes de matemáticas (Hacer - yo).

8. Le ha comprado un libro y se lo ........................ con un papel de regalo (envolver - ellos).

9. No ........................ la catedral de Toledo (ver - nosotras).

10. Me ........................ un nuevo trabajo (proponer - ellos).

Right answers: ........ **out o**

### 6. Conversation between mother and son.
Complete with the present perfect and the pronoun if necessary.

0. ● ¿(Recoger) ..*Has recogido*.. tu habitación esta mañana antes de ir a clase?
   ○ No, no (recoger) ..*la he recogido*. . No (tener) ...*he tenido*...... tiempo.

1. ● ¿(Llegar) ........................ puntual al colegio?
   ○ No. (Llegar) ........................ tarde.

2. ● ¿(Visitar) ........................ a la abuela después de las clases?
   ○ No, no (visitar) ........................ . (Estar) ........................ con unos amigos en el parque.

3. ● ¿(Estudiar) ........................ algo esta tarde?
   ○ No. (Jugar) ........................ con la videoconsola.

4. ● ¿(Ayudar) ........................ a tu padre a lavar el coche?
   ○ No, no (ayudar) ........................ a lavarlo.

5. ● ¿(Preparar) ........................ la cena a tu hermana?
   ○ No, no (preparar) ........................ . (Preparar) ........................ ella.

Right answers: ........ **out**

## 7. Usually..., but today....

Complete with the present perfect and the pronoun if necessary.

| Normalmente... | Pero hoy... |
|---|---|
| 0. Cenamos en casa. | *Hemos cenado* en un restaurante. |
| 1. Mi jefe llega puntual. | ........................... tarde. |
| 2. Leo el periódico después de comer. | ........................... después de cenar. |
| 3. No tomo café después de cenar. | ........................... dos. |
| 4. Comprendéis bien mis explicaciones. | No ........................... . |
| 5. Tienes mucha paciencia. | ........................... muy poca paciencia. |

Right answers: ......... **out of 5**

## 8. A not professional private investigator.

Complete the detective's report with the present perfect and the pronoun if necessary.

El señor García (salir) ........................ $_0$ esta mañana de su casa a las ocho y (subir) ........................ $_1$ al coche. (Llegar) ........................ $_2$ a la oficina a las nueve, y media hora más tarde (salir) ........................ $_3$ (Entrar) ........................ $_4$ en una cafetería cercana. Allí (saludar) ........................ $_5$ a un hombre con aspecto extranjero y a una mujer joven. (Sentarse, ellos) ........................ $_6$ El hombre le (dar) ........................ $_7$ un paquete pequeño al señor García y este le (dar) ........................ $_8$ un sobre. La mujer (guardar) ........................ $_9$ el sobre en el bolso. Después, el señor García (volver) ........................ $_{10}$ a la oficina y no (salir) ........................ $_{11}$ hasta las nueve de la noche. (Dejar) ........................ $_{12}$ el coche en la oficina y (tomar) ........................ $_{13}$ un taxi. ¡No (poder, yo) ........................ $_{14}$ seguirlo porque mi coche (quedarse) ........................ $_{15}$ sin gasolina!

Right answers: ......... **out of 15**

**I AM ALL EARS.** Listen to the dialogue.

42

■ Llegas muy tarde.

● Sí, es que **he estado** con un cliente en la oficina hasta las nueve. **He tenido** mucho trabajo todo el día. ¿Y tú?

■ ¿Yo? Yo **he tenido** un día muy tranquilo. He terminado de trabajar a las cinco y me **he ido** a ver una exposición de fotografías muy interesante con unos compañeros de trabajo.

● ¡Qué suerte! ¿**Has mirado** si hay algún correo para mí en el ordenador?

■ Sí, te han enviado cuatro o cinco, pero no **he abierto** ninguno.

Total amount of right answers: ..... **out of 68**

**ASSESS YOURSELF**

| Very good | Good | Not so good | Bad |
|---|---|---|---|
| ○ | ○ | ○ | ○ |

Components:
# Adverbs of time

**22**

| FORM | USE |
|---|---|
| Time adverbs and frequency adverbials. | Indicating when an event takes place and how often. |

43

**Ayer** fui a ver el concierto de Shakira.

Yo voy a ir **pasado mañana**.

## FORM

| Time adverbs | | |
|---|---|---|
| **Adverbs** | **Meaning** | **Example** |
| **Hoy** (today) | En el día actual. | *Hoy es mi cumpleaños, te invito a comer.* |
| **Ayer** (yesterday) | En el día anterior a hoy. | *Ayer compré un regalo para Ana.* |
| **Anteayer** (the day before yesterday) | En el día anterior a ayer. | *Anteayer me puse enferma.* *Llevo dos días en cama.* |
| **Anoche** (last night) | En la noche de ayer. | *Anoche me acosté tarde y hoy estoy cansado.* |
| **Mañana** (tomorrow) | En el día posterior a hoy. | *Estoy haciendo la maleta. Mañana salgo de viaje.* |
| **Pasado mañana** (the day after tomorrow) | En el día posterior a mañana. | *El examen es pasado mañana.* *Todavía faltan dos días.* |
| **Ahora** (now) | En este momento. | *Ahora no puedo salir. Estoy estudiando.* |
| **Antes** (before) | Anterioridad en el tiempo. | *Antes trabajé de camarera.* |
| **Después / luego** (after(wards) / later) | Posterioridad en el tiempo. | *Ahora estoy comiendo. Luego te veo.* |
| **Siempre** (always) | En todo tiempo. | *Aquí siempre puedes entrar.* |
| **Nunca / jamás** (never) | En ningún tiempo. | *Nunca viene a mi casa.* |
| **Pronto** (soon / (too) early) | En poco tiempo. Antes del momento oportuno. | *Tiene que irse ahora pero vuelve pronto.* *Llegas pronto. La clase empieza a las 9.* |
| **Tarde** (late) | Después del momento oportuno. | *Llega tarde a clase.* |

### Frequency adverbials

+ siempre
  casi siempre
  generalmente / normalmente
  a menudo
  a veces / de vez en cuando
  casi nunca
− nunca

Una, dos, tres..... veces
Varias veces
Muchas veces
Pocas veces
} + al día, a la semana al mes, al año...

## USE

**1.** They indicate when and how often an event takes place.
*Ayer comimos en un restaurante mexicano.*
*Vamos a menudo a comer a ese restaurante.*

**2.** They may go before or after the verb.
*Siempre tomo un café después de comer.*
*Una vez a la semana voy al cine.*
*Después de comer tomo siempre un café.*
*Voy al cine una vez a la semana.*

**3.** When *casi nunca* and *nunca* go after the verb we use *no* in front of it.
*No hago deporte casi nunca.*

# Exercises

## 1. Opposites.
Match the two columns.

0. antes
1. pronto
2. siempre
3. deprisa
4. bien

a. despacio
b. nunca
c. tarde
d. mal
e. después

Right answers: ......... **out of 4**

## 2. Synonyms.
Replace the expressions in bold by one of the adverbs from the box.

| después | siempre | nunca | pronto | ahora |
|---|---|---|---|---|

0. Termina el trabajo y **luego** se acuesta. — *Termina el trabajo y después se acuesta.*
1. **En todo momento** dices que no a las cosas. ............................................................
2. No puedo ir a verlo **en este momento**. ............................................................
3. **Jamás** vienes con nosotros al cine. ............................................................
4. Primero voy yo y **luego** entras tú. ............................................................
5. No le conozco y **jamás** hablo con él. ............................................................
6. Está cerca, va a llegar **muy rápido**. ............................................................
7. **Toda la vida** voy a estar a tu lado. ............................................................
8. Espero tu respuesta **rápido**. ............................................................
9. Está en casa **en este momento**, puedes llamarle. ............................................................

Right answers: ......... **out of 9**

## 3. The right adverb for each situation.
Underline the correct option.

0. **Ahora** / **Anoche** voy a hacerlo.
1. Voy a terminar el trabajo y **luego** / **tarde** salimos juntos.
2. **Pasado mañana** / **Anteayer** voy a ir a la peluquería.
3. Le estamos esperando, llega **tarde** / **pronto** y no se disculpa.
4. Me tengo que levantar **pronto** / **ayer** para ir a trabajar.
5. **Siempre** / **Pronto** me regala lo mismo para mi cumpleaños.

Right answers: ......... **out of 5**

## 4. Using adverbs of time (1)
Complete the sentences with words from the box.

0. Llegas muy ...*pronto*... esta mañana. ¿Es que tienes mucho trabajo?
1. Hoy no tiene cita con el médico. Es ................, a primera hora.
2. Lo siento, estoy muy ocupada y ................ no puedo atenderle.
3. ¿Puede volver ................, por favor? En este momento estoy con un cliente.
4. Juan estudia ................ por la noche hasta muy tarde.

mañana
ahora
siempre
pronto
luego

Right answers: ......... **out of 4**

### 5. Using adverbs of time (2)
Match the columns.

0. Salgo muy tarde del trabajo.
1. No me levanto nunca antes de las siete.
2. Pasado mañana voy a descansar.
3. Van a llegar muy pronto.
4. Le gusta mucho la literatura.

a. Llegan por fin las vacaciones.
b. No me gusta madrugar.
c. Ya han salido de casa.
d. Por eso nunca voy al cine.
e. Siempre está leyendo.

Right answers: ........ **out of**

### 6. What a great teacher!
Put the words in the correct order.

0. siempre - profesora - puntual - casi - Mi - llega. ...*Mi profesora llega puntual casi siempre.*...
1. de - humor - Siempre - buen - está. .........................................................
2. con - Casi - nosotros - se - nunca - enfada. .........................................................
3. veces - canciones - clase - en - pone - A - nos. .........................................................
4. claro - habla - Normalmente - despacio - y .........................................................
5. hace - un - al - Solo - examen - mes. .........................................................
6. muy - explica - Generalmente - bien - gramática - la .........................................................

Right answers: ........ **out of**

### 7. Understanding frequency adverbials.
Put the expressions in order from the most to the least frequent.

0. ...*1*... siempre
1. .......... una vez a la semana
2. .......... casi siempre
3. .......... dos veces al mes
4. .......... una vez al año
5. .......... varias veces al día
6. .......... nunca
7. .......... dos veces al día
8. .......... casi nunca

Right answers: ........ **out of**

### 8. Two very different brothers.
Match the columns.

0. Mi hermano casi siempre llega puntual a su trabajo, yo .............. llego puntual.
1. Yo voy al dentista una vez al año, mi hermano va .............. .
2. Mi hermano va a ver a los abuelos todos los domingos, yo voy a verlos .............. .
3. Yo suelo ir al cine una o dos veces al mes, mi hermano suele ir .............. al mes.
4. Mi hermano siempre se lava los dientes antes de acostarse, yo no me los lavo .............. .
5. Yo le regalo flores a mi novia de vez en cuando, mi hermano se las regala .............. .

a. nunca
b. a menudo
c. varias veces
d. casi nunca
e. un domingo al mes
f. dos veces al año

Right answers: ........ **out o**

**9.** **Starting a survey on leisure-time activities of the Spanish people.**
Read the dialogue and say if the sentences are true or false.

Encuestador: ¿Tiene dos minutos para contestar a unas preguntas sobre los hábitos de los españoles en el tiempo libre?
Encuestado: Sí, pero solo dos minutos.
Encuestador: ¿Con qué frecuencia va usted al cine?
Encuestado: No voy al cine casi nunca. En la tele ponen muchas películas.
Encuestador: ¿Y al teatro?
Encuestado: Al teatro sí voy a menudo. Por lo menos dos o tres veces al mes.
Encuestador: ¿Suele comer o cenar en restaurantes?
Encuestado: Suelo comer muchas veces por cuestiones de trabajo, pero ceno pocas veces, una o dos veces al mes.
Encuestador: ¿Va a conciertos de música clásica?
Encuestado: No, nunca.
Encuestador: ¿Y a otro tipo de conciertos?
Encuestado: Sí, a veces voy a conciertos de rock.
Encuestador: ¿Practica algún deporte?
Encuestado: Sí, todos los domingos juego al golf con unos amigos. Y de vez en cuando monto a caballo.
Encuestador: Muchas gracias por su colaboración.
Encuestado: De nada.

|  |  | T | F |  |  | T | F |
|---|---|---|---|---|---|---|---|
| 0. | Va con mucha frecuencia al cine. | ☐ | ☑ | 4. | Nunca va a conciertos de música clásica. | ☐ | ☐ |
| 1. | Va al teatro todos los meses. | ☐ | ☐ | 5. | Va muchas veces a conciertos de rock. | ☐ | ☐ |
| 2. | Come muy pocas veces en restaurantes. | ☐ | ☐ | 6. | Juega de vez en cuando al golf. | ☐ | ☐ |
| 3. | Cena a veces en restaurantes. | ☐ | ☐ | 7. | Monta a caballo a menudo. | ☐ | ☐ |

Right answers: ......... **out of 7**

**I AM ALL EARS.** Listen to the dialogue.

44

Periodista: Todos tus fans conocen muy bien tus canciones pero saben muy pocas cosas de ti. Por ejemplo, ¿cómo es un día normal cuando no estás dando conciertos?
Cantante: Pues hago más o menos lo mismo que todo el mundo. **Casi siempre** me levanto temprano. **A veces** hago un poco de gimnasia **antes de** desayunar. **Después generalmente** trabajo en mi estudio hasta la hora de comer.
Periodista: ¿Te gusta cocinar?
Cantante: No, **casi nunca** hago yo la comida. Como **muchas veces** en un restaurante cerca de casa.
Periodista: Bueno, tus fans ya te conocen un poquito más. Muchas gracias y mucho éxito con tu próximo disco.
Cantante: Gracias a vosotros.

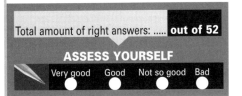

Total amount of right answers: ..... **out of 52**

**ASSESS YOURSELF**

Very good    Good    Not so good    Bad
⚫            ⚫       ⚫              ⚫

# Past Imperfect

| FORM | USE |
|---|---|
| Regular and irregular verbs. | Describing past events and talking about past habitual events. |

**23**

45

¿Siempre has pasado los veranos aquí?

No. Antes **íbamos** a un apartamento que **teníamos** en la playa. **Era** muy pequeño pero **estaba** en primera línea de playa.

## FORM

| Past imperfect: regular verbs ||
|---|---|
| **Verbs ending in...** | **Imperfect ending in...** |
| -ar | -aba, -abas, -aba, -ábamos, -abais, -aban |
| -er | -ía, -ías, -ía, -íamos, -íais, -ían. |
| -ir | |

### Past imperfect: irregular verbs

| | ir | ser | ver |
|---|---|---|---|
| yo | iba | era | veía |
| tú | ibas | eras | veías |
| él, ella, usted | iba | era | veía |
| nosotros, nosotras | íbamos | éramos | veíamos |
| vosotros, vosotras | ibais | erais | veíais |
| ellos, ellas, ustedes | iban | eran | veían |

**Notes:**
The first and third persons singular have the same ending.

## USE

**1.** To describe something or somebody in the past.
*Mi casa **estaba** en la playa, **tenía** dos pisos.*

**2.** To say the age in the past.
*En 1980 yo **tenía** 10 años.*

**3.** To describe habitual or periodical past actions or situations. It usually goes with frequency adverbials: *siempre, casi siempre, a veces, generalmente, nunca...*
*Hace años, por las tardes, mi abuela siempre nos **contaba** cuentos.*
*El año pasado, a veces, **trabajaba** los fines de semana.*

# Exercises

## 1. Conjugating the past imperfect.
Conjugate these verbs.

|  | Hablar | Beber | Vivir |
|---|---|---|---|
| yo |  |  |  |
| tú | *hablabas* |  |  |
| él, ella, usted |  | *bebía* |  |
| nosotros, nosotras |  |  |  |
| vosotros, vosotras |  |  |  |
| ellos, ellas, ustedes |  |  | *vivían* |

Right answers: ......... **out of 15**

## 2. Who are we talking about?
Match the columns.

0. Era muy pequeña y ahora ha crecido mucho.
1. Tenía un llavero muy bonito, pero lo he perdido.
2. En realidad solo quería salir conmigo.
3. Tenía toda la razón del mundo, siempre la tengo.
4. Sabía la verdad pero no me la quería decir.
5. Antes la veía mucho, pero ahora no sé nada de ella.

a. Yo

b. Él, ella o usted.

Right answers: ......... **out of 5**

## 3. At the time, in the village.
Put the verbs in brackets in the past imperfect.

0. Antes, ......*pasaba*...... (pasar - yo) los veranos en un pueblo de León.
1. El pueblo ...................... (ser) muy pequeño y ...................... (tener) muy pocas casas.
2. Nuestra casa ...................... (ser) pequeña, pero ...................... (estar) en el centro del pueblo.
3. ...................... (Conocer - nosotros) a todas las personas del pueblo.
4. ...................... (Ir - nosotros) muchas veces a bañarnos en el río.
5. ...................... (Ver - yo) todos los días cosas nuevas y ...................... (aprender) las tareas del campo.
6. ...................... (Ser - yo) feliz y me ...................... (gustar) pasar allí las vacaciones.
7. (Comer - nosotros) ...................... siempre en el restaurante de la carretera.
8. Mis abuelos ...................... (trabajar) mucho y no (tener) ...................... nunca vacaciones.
9. En aquella época ...................... (tener - yo) menos de 15 años.
10. Una niña del pueblo ...................... (ser) mi mejor amiga y lo ...................... (hacer - nosotros) todo juntos.
11. El maestro del pueblo nos ...................... (dar) clases de repaso durante el verano.
12. En aquella época no ...................... (haber) ordenadores, pero lo ...................... (pasar - nosotros) muy bien.

Right answers: ......... **out of 19**

# Exercises

## 4. Present and past.
Put the sentences in the past imperfect.

0.  No son las cuatro todavía. .............*No eran las cuatro todavía.*.............
1.  Vivo en el segundo piso de esta casa. ...................................................................
2.  Jugamos a las cartas todos los fines de semana. ...................................................................
3.  Salgo a las cinco de la mañana. ...................................................................
4.  ¿Adónde vas con Jaime? ...................................................................
5.  Leen el periódico después de desayunar. ...................................................................
6.  Es mi último año del instituto. ...................................................................
7.  Tiene miedo por la noche. ...................................................................
8.  Cuenta siempre las mismas cosas. ...................................................................
9.  Vuelve a casa tarde todos los días. ...................................................................
10.  Van a la discoteca los fines de semana. ...................................................................
11.  Juega al tenis con sus compañeros de trabajo. ...................................................................
12.  Tiene el pelo largo y muy moreno. ...................................................................

Right answers: ......... out o

## 5. Interviewing a famous singer.
Put the past imperfect forms in bold in the corresponding column.

| Describing someone or something | Saying the age | Describing habitual actions |
|---|---|---|
| | | *Vivías en un pueblo de Sevilla.* |

**Entrevistadora:** Desde que ganaste el concurso Operación Éxito eres un cantante muy famoso. Pero sabemos muy poco de tu vida anterior. **Vivías** en un pueblo de Sevilla, ¿verdad?
**Cantante:** Sí, en Écija.
**Entrevistadora:** ¿Y qué **hacías**? ¿**Trabajabas**?
**Cantante:** Por las mañanas **ayudaba** a mi padre en la carnicería y algunas tardes **ensayaba** con una orquesta.
**Entrevistadora:** ¿Con una orquesta?
**Cantante:** Bueno, en el pueblo **había** una orquesta muy pequeña. **Estaba** formada por tres chicos y tres chicas. Yo **tocaba** con ella en las fiestas de los pueblos y en las bodas.
**Entrevistadora:** ¿Cuántos años **tenías** en aquella época?
**Cantante:** Dieciséis.

Right answers: ......... out o

## 6. There are a few changes in our class this year.
Complete the sentences using the past imperfect.

0.  Este curso tenemos diez ordenadores, el curso pasado solo ......*teníamos*...... dos.
1.  El profesor está más gordo, el curso pasado ........................ más delgado.
2.  Mónica lleva el pelo largo, el curso pasado lo ........................ corto.
3.  Marek tiene, por fin, móvil, el curso pasado no ........................ .
4.  Armin ahora vive con unos amigos, el curso pasado ........................ solo.
5.  Tenemos un aula muy grande, el curso pasado ........................ una pequeña.
6.  Hay ocho estudiantes, el curso pasado .................. diez.
7.  La clase empieza a las 10.00, el curso pasado ........................ a las 9.00.

Right answers: ......... out o

### 7. When I was a little girl.

Join the columns.

0. Estudiaba poco...
1. En el patio del colegio...
2. Tenía un perro...
3. Escribía poesías...
4. Comía mucho...
5. Me gustaba mucho jugar al tenis...
6. Teníamos un piano en casa...

a. pero estaba muy delgada.
b. que se llamaba Morgan.
c. y casi siempre ganaba los partidos.
d. pero siempre tenía buenas notas.
e. jugaba solo con las niñas.
f. pero yo lo tocaba muy mal.
g. pero solo las leía yo.

Right answers: ......... **out of 6**

### 8. The Astecs.

Put the verbs in the text in the past imperfect.

El pueblo azteca ..*vivía*.. (vivir) en Centroamérica. Su capital se ........... (llamar) Tenochtitlán, ........... (estar) en una isla en medio del lago Texcoco. Solo se ........... (poder) llegar a ella en canoa o a través de tres puentes muy estrechos. La ciudad ........... (parecer) una especie de Venecia.

Todos los hombres ........... (vestir) de blanco y las mujeres ........... (llevar) faldas y blusas decoradas. A todos les ........... (gustar) adornarse con joyas.

Los aztecas ........... (dar) mucha importancia a la higiene. Todo el mundo se ........... (bañar) con frecuencia. En la capital ........... (haber) muchos baños públicos, pero casi todas las casas particulares ........... (tener) uno. La ciudad de Tenochtitlan ........... (vivir) su mejor momento por la noche: en muchas casas de familias ricas se ........... (preparar) una cena para los invitados, que ........... (llegar) a medianoche y se ........... (quedar) hasta el amanecer.

Muchas cosas que nosotros comemos actualmente, los aztecas ya las ........... (comer): como el chocolate o el chicle. Los aztecas ........... (hacer) con el chocolate una bebida fría que les ........... (gustar) mucho. Y el chicle lo ........... (sacar) de la corteza de un árbol llamado zapote.

Moctezuma fue emperador de los aztecas entre 1502 y 1520. ........... (Hablar) en voz muy baja y casi no ........... (mover) los labios. ........... (Parecer) amable, pero ........... (tener) fama de ser muy severo. Cada día se ........... (cambiar) cuatro veces de túnica y no se las ........... (volver) a poner otra vez. La gente lo ........... (saludar) con mucho respeto, pero nunca le ........... (mirar - ellos) a la cara.

Right answers: ......... **out of 27**

**I AM ALL EARS.** Listen to the dialogue.

46

- ¿Qué **hacían** tus padres antes de venir a España?
- Mi padre **trabajaba** en el campo. Unas veces **recogía** fruta y otras **trabajaba** de pastor.
- ¿Y tu madre?
- Mi madre **vendía** fruta y verdura en la calle.
- ¿Dónde **vivían**?
- **Vivían** con mis abuelos en un pueblo a unos doscientos kilómetros de Quito.

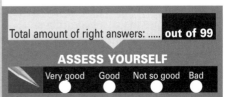

Total amount of right answers: ..... **out of 99**

**ASSESS YOURSELF**

Very good   Good   Not so good   Bad

**Components:**

# Imperative

| FORM | USE |
|---|---|
| Regular and irregular verbs. | Giving instructions, advice, orders. |

**24**

47

Mamá, ¿puedo hablar contigo un momento?

Sí, claro, hijo. **Ven**, **siéntate** y **cuéntame**.

## FORM

### Regular imperative

| | -ar | -er | -ir | | hablar | beber | vivir |
|---|---|---|---|---|---|---|---|
| tú | -a | -e | -e | | habla | bebe | vive |
| usted | -e | -a | -a | | hable | beba | viva |
| vosotros, vosotras | -ad | -ed | -id | | hablad | bebed | vivid |
| ustedes | -en | -an | -an | | hablen | beban | vivan |

**Notes:**

**1.** The *tú* 2nd person singular is formed by taking away the *–s* from the present. The *vosotros/ vosotras* 2nd person plural is formed by replacing the *–r* of the infinitive by a *–d*.
*Tú hablas muy poco,* **habla** *más en clase.*
*Yo no puedo hablar,* **hablad** *vosotros.*

### Irregular imperative

Only eight verbs have an irregular imperative:

| | decir | ir | salir | tener | hacer | poner | ser | venir |
|---|---|---|---|---|---|---|---|---|
| tú | di | ve | sal | ten | haz | pon | sé | ven |
| usted | diga | vaya | salga | tenga | haga | ponga | sea | venga |
| vosotros, vosotras | decid | id | salid | tened | haced | poned | sed | venid |
| ustedes | digan | vayan | salgan | tengan | hagan | pongan | sean | vengan |

**2.** Any irregularities in the person *tú* of the present are kept in the imperative.
*Dormir: tu duermes >* **duerme** *(tú)*

**The imperative with pronouns:**

With the imperative, pronouns always go behind, spelt as a single word together with the verb.

| | |
|---|---|
| *With indirect object pronouns:* | *El niño tiene hambre.* **Cómprale** *un bocadillo.* |
| *With direct object pronouns:* | *Esta falda es muy bonita.* **Cómprala.** |
| *With both indirect and direct object pronouns:* | *Me gusta este coche.* **Cómpramelo.** |
| *With reflexive pronouns:* | **Lávate** *la cara.* |

**Notes:**
The final *–d* in the form *vosotros / vosotras* disappears when the pronoun *os* follows.
*Lavad + os = lavaos* **Lavaos** *la cara.*

## USE

**1.** It is used to give instructions.
**Siga** *por esa calle y después* **gire** *a la derecha.*

**2.** Also to give advice.
**Beba** *dos litros de agua al día y* **coma** *mucha fruta y verdura.*

**3.** To draw somebody's attention.
**Oye**, *¿qué haces?* **Perdona**, *¿tienes hora?*

**4.** To start an explanation (in colloquial speech).
**Mira**, *te lo voy a explicar.*

# Exercises

## 1. *Tú* and *vosotros*.
Write the imperative in the two persons (singular and plural)

0. Conducir más despacio.      *Conduce, conducid más despacio.*
1. Cerrar la puerta de la casa. ...........................................................
2. Escribir la carta a tu hermana. ...........................................................
3. Encender la luz de la habitación. ...........................................................
4. Pronunciar bien las palabras. ...........................................................
5. Beber toda el agua. ...........................................................
6. Despertar a los niños. ...........................................................
7. Pensar otro ejemplo. ...........................................................
8. Traer algo de postre. ...........................................................
9. Mover las cosas de lugar. ...........................................................
10. Jugar con los compañeros. ...........................................................

Right answers: .......... **out of 10**

## 2. *Usted* and *ustedes*.
Change the sentences as in the example.

0. Tiene que trabajar mucho más.      *Trabaje mucho más.*
1. Tienen que dormir por la noche. ...........................................................
2. Tiene que hablar más alto. ...........................................................
3. Tienen que escribir un cuento. ...........................................................
4. Tiene que revisar el trabajo. ...........................................................
5. Tienen que leer el periódico. ...........................................................

Right answers: .......... **out of 5**

## 3. Giving orders (1).
Give orders using the plural form.

0. Contesta al teléfono.      *Contestad al teléfono.*
1. Escribe una carta a tu madre. ...........................................................
2. Juegue con su hijo. ...........................................................
3. Pide al camarero una bebida. ...........................................................
4. Duerme en otro cuarto. ...........................................................
5. Dé dinero a los pobres. ...........................................................
6. Repita la frase anterior. ...........................................................
7. Compre un regalo. ...........................................................
8. Empieza a comer ahora mismo. ...........................................................
9. Sigue cantando esa canción. ...........................................................
10. Estudie para el examen. ...........................................................

Right answers: .......... **out of 10**

## 4. Giving orders (2).
Complete the sentences using the imperative in the second person singular.

0. (Hacer) ..... *Haz* ..... las camas, por favor.
1. (Tener) ............... cuidado.
2. (Decir) ............... siempre la verdad.
3. (Salir) ................. de la habitación ahora.
4. (Ser) ................. bueno.
5. (Poner) .............. la tele en voz baja.

6. (Decir) ............... tu nombre y tus apellidos.
7. (Venir) .............. con nosotros a la fiesta.
8. (Hacer) .............. deporte cada día.
9. (Ser) ................. amable con tus abuelos.
10. (Ir) ..................... al médico, no estás bien.

Right answers: ......... out o

## 5. Giving orders (3).
Write the plural form of the sentences.

0. Piensa una idea mejor.     *Pensad una idea mejor.*
1. Haz más ejercicios gramaticales. .............................................
2. Pon atención en el trabajo. .............................................
3. Para el coche en esa esquina. .............................................
4. Pregunta el nombre a ese señor. .............................................
5. Ven a mi casa luego. .............................................
6. Sal de casa a las diez. .............................................
7. Di algo interesante. .............................................
8. Sé fuerte. .............................................
9. Ven a vernos el próximo domingo. .............................................

Right answers: ......... out o

## 6. Traffic signs.
Match the instructions with the traffic signs. Then write the second person singular of the imperative.

0. Pasar con cuidado.   1. Girar a la derecha.   2. Parar.   3. Usar el cinturón.   4. Encender las luces.

a. .....................
.....................

b. .....................
.....................

c. *Pasa con*
*cuidado.*

d. .....................
.....................

e. .....................
.....................

Right answers: ......... out o

## 7. Moving in.
Complete the sentences using the imperative and pronouns.

0. ● ¿Dónde dejo estos libros?
   ○ (Poner - tú) *Ponlos*... en esa estantería.
1. ● ¿Qué hago con esta silla?
   ○ (Dejar - tú) ............. al lado del sofá.
2. ● ¿Cuelgo este cuadro aquí?
   ○ No, allí no. (Colgar - tú) ............. encima de la chimenea.

3. ● ¿Guardo los abrigos en ese armario?
   ○ No. (Guardar - tú) ............. en este armario.
4. ● ¿Qué hago con este jarrón?
   ○ (Colocar - tú) ............. con cuidado al lado de la lámpara.
5. ● ¿Cambio este sofá de sitio?
   ○ Sí, (cambiar - tú), ............. está mejor allí.

Right answers: ......... out o

## 8. What to whom?

Tick the sentence the pronouns refer to.

**0.** Escríbesela.
- ☐ Escribe el informe a tu amiga.
- ☑ Escribe la carta a tu hermana.
- ☐ Escribe el ejercicio a tu compañero de clase.

**1.** Lávatelos.
- ☐ Lávate las manos.
- ☐ Lava las manos al niño.
- ☐ Lávate los dientes.

**2.** Tráemela.
- ☐ Trae el pan a mi casa.
- ☐ Trae la película a tu casa.
- ☐ Trae la película a mi casa.

**3.** Enviádselos.
- ☐ La carta a vuestros padres.
- ☐ Las flores a vuestras novias.
- ☐ Los correos a vuestros amigos.

**4.** Dánoslo.
- ☐ Da el regalo a nosotros.
- ☐ Da las gracias a nosotros.
- ☐ Da los libros a nosotros.

**5.** Comprádsela.
- ☐ Comprad a ella las flores.
- ☐ Comprad a ella la falda.
- ☐ Comprad a ellas el regalo.

Right answers: ........ **out of 5**

## 9. Chicken and orange salad.

Fill in the gaps with imperatives in the second person singular *(tú)* and the pronoun if necessary.

**Ingredientes (4 personas)**
- 400 g. de pollo.
- 1 lechuga.
- 2 naranjas.
- 2 nueces.
- 1 yogur.
- 4 cucharadas de aceite.
- 2 cucharadas de vinagre de manzana.
- Sal y pimienta blanca.

**Preparación**

**0.** (Pelar) *Pela* las naranjas y (cortar) *córtalas* en pequeños trozos.

**1.** (Mezclar) ............. un poco de zumo de naranja con el yogur, el aceite y el vinagre. (Añadir) ........... la sal y la pimienta.

**2.** (Lavar) ............. bien la lechuga y (secar) ............. . (Echar) ............. la salsa de naranja por encima.

**3.** (Calentar) ............. el aceite de oliva. (Cortar) ............. el pollo y (freír) ............. unos seis minutos. (Añadir) ............. a la ensalada y (poner) ............. las nueces cortadas por encima.

Right answers: ........ **out of 10**

**I AM ALL EARS.** Listen to the dialogue.

48

*Este es el contestador automático de María Sánchez Avilés. Por favor, deje su mensaje.*

**1.** Hola, María. Sé que estás en casa. **Coge** el teléfono. Tengo que contarte algo muy importante.

**2.** Hola, hija, soy mamá. **Llámame** o **ven** a comer mañana conmigo.

**3.** Este es un mensaje para doña María Sánchez Avilés. Por favor, **póngase** en contacto con nosotros en el número 91 3522761.

**4.** María, **despierta**, ya son las ocho. **Recuerda** que hoy hay que llevar el diccionario a clase.

**5.** Hola, María, soy yo. **Tráeme** esta tarde el libro que te pedí el otro día. Gracias.

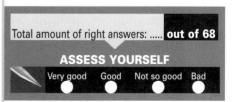

Total amount of right answers: ..... **out of 68**

**ASSESS YOURSELF**

| Very good | Good | Not so good | Bad |
|-----------|------|-------------|-----|
| ○ | ○ | ○ | ○ |

Components:
# Noun clauses

| FORM | USE |
|---|---|
| Decir, creer, preguntar... + que / si + indicative. | Expressing an opinion and reporting somebody else's words. |

¿Qué dice tu amigo?

**Pregunta** si quieres venir
con nosotros a la discoteca.

## FORM

**General rule:** They are formed with a verb of opinion, or of speech or an expression of confirmation + *que* + a verb in the indicative.
*Creo que* es verdad. *Dice que* viene mañana. *Está demostrado que* el clima está cambiando.

| Main verb | Subordinate verb | Examples |
|---|---|---|
| Verbs of thought or opinion:<br>*pensar, creer, opinar, parecerle (a alguien)* | | *¿Piensas que* está estudiando?<br>*Creo que sí* (está estudiando).<br>*Opino que* es un buen chico.<br>(A mí) *me parece que* es un buen chico. |
| Verbs of speech:<br>*decir, explicar, afirmar, contestar, responder, contar, preguntar* | **QUE + indicative**<br><br>**SI + indicative**<br>(in questions) | *Dice que* tiene un coche nuevo.<br>*Explicaron que* lo vieron todo.<br>*Afirma que* sabe la respuesta.<br>*Nos contó que* tuvieron un accidente.<br>*Pregunta si* vas a venir esta noche.<br>*Contesta que* no lo sabe. |
| Expressions to confirm facts:<br>*es verdad / cierto / evidente / seguro*<br>*está claro / visto / demostrado* | | *Es verdad que* las casas en Madrid son muy caras.<br>*Está claro que* no tenemos dinero. |

## USE

**1.** To express an opinion.
*Yo creo que* esto es muy interesante.
*Me parece que* todavía no ha llegado.

**2.** *Dice que, afirma que, pregunta si, responde que...* are used to repeat or report somebody else's words. It is called reported speech.
*El profesor* **dice que** mañana no hay clase.

When reporting, the following changes may occur:

| Yo / Tú / Nosotros | Él / Ella / Yo / Ellos |
|---|---|
| *Yo* soy la profesora. | Dice que *ella* es la profesora. |
| ¿*Tú* sabes hablar chino? | Pregunta (que) si *yo* sé hablar chino. |
| *Nosotros* no somos españoles. | Dicen que *ellos* no son españoles. |

| Me / Te / Nos | Le / Me / Les |
|---|---|
| *Me* gusta la ópera. | Dice que *le* gusta la ópera. |
| *Te* espero a la salida. | Dice que *me* espera a la salida. |
| *Nos* escriben cartas. | Dicen que *les* escriben cartas. |

| Aquí | Allí |
|---|---|
| *Aquí* estoy muy bien. | Dice que *allí* está muy bien. |

| Mi / Mío / Tu / Tuyo / Nuestro | Su / Suyo / Mi / Mío / Nuestro |
|---|---|
| Este es *mi* coche. | Dice que este es *su* coche. |
| Este libro es *tuyo*. | Dice que este libro es *mío*. |
| *Nuestro* hijo estudia Medicina. | Dicen que *su* hijo estudia Medicina. |

| Este | Este / Ese / Aquel |
|---|---|
| *Este* bolígrafo no funciona. | Dice que *ese* bolígrafo no funciona. |

| Ir / Venir / Traer / Llevar | Venir / Ir / Llevar / Traer |
|---|---|
| Mañana *voy* a tu casa y te *llevo* el CD. | Dice que mañana *viene* a mi casa y me *trae* el CD. |

# Exercises

## 1. Expressing opinions.
Put the verbs in brackets in the correct tense and person.

0. Mi hijo piensa que .....*tengo*..... (tener - yo) un regalo para él.

1. Creo que mis padres ................... (llegar) esta noche.

2. Me parece que ................... (ir) a llover mucho este fin de semana.

3. Pienso que Miguel ................... (hacer) bien en cambiar de trabajo.

4. ¿Crees que ................... (tener - nosotros) posibilidades de aprobar?

5. ¿Os parece que esa chica ................... (ser) la novia de Ramón?

6. Mis padres opinan que no ................... (deber - nosotros) salir esta noche.

7. Creemos que ................... (decir - él) la verdad y que no............... (mentir).

8. Opino que ................... (haber) que dar una oportunidad a todos.

Right answers: ......... **out of 9**

## 2. Reported speech.
Change the sentences as in the example.

0. "Sueña con ir a España".      Dice....*que sueña con ir a España.*

1. "Sé lo que cuesta".      Afirma..................................................

2. "Toma un zumo de naranja cada mañana".      Explica..................................................

3. "Me gustan mucho las películas de amor".      Dice..................................................

4. "Se cayó y se rompió la pierna".      Cuenta..................................................

5. "¿Salen a cenar fuera esta noche?"      Pregunta..................................................

6. "Esta tarde voy a ver una película española".      Dice ..................................................

7. "Decidió cambiar de casa y se fue al centro."      Afirma..................................................

8. "No sabe dónde está el paraguas".      Dice..................................................

Right answers: ......... **out of 8**

## 3. Expressions to confirm facts.
Tick the correct answer.

0. Es ................... que vamos a pasar las vacaciones en tu casa.
☑ seguro     ☐ demostrado

1. Es ................... que las cosas no son así.
☐ evidente     ☐ claro

2. Es ................... que todos están preocupados.
☐ demostrado ☐ evidente

3. Está ................... que la dieta mediterránea es buena para la salud.
☐ verdad     ☐ demostrado

4. Está ................... que siempre llueve en esta zona del país.
☐ seguro     ☐ visto

5. Está ................... que te gusta mucho la playa.
☐ evidente     ☐ claro

6. Está ................... que esto es peligroso.
☐ cierto     ☐ demostrado

Right answers: ......... **out of 6**

# Exercises

### 4. What are they saying?
Write the sentences in indirect speech.

0. Tu hermana viene hoy.
   *Dice que mi hermana viene hoy.*
   ...........................................................

1. ¿Dónde están las llaves de nuestro coche?
   ...........................................................

2. Esta foto es de mi madre.
   ...........................................................

3. Te he comprado un regalo.
   ...........................................................

4. ¿Dónde trabaja tu marido?
   ...........................................................

5. Me levanto a las siete.
   ...........................................................

6. ¿Cuándo te llamo por teléfono?
   ...........................................................

7. No tengo tiempo para ayudarte a hacer la traducción.
   ...........................................................

8. ¿Nos invitas a tu fiesta de cumpleaños?
   ...........................................................

9. Me parece muy buena vuestra profesora.
   ...........................................................

10. Este jersey me gusta mucho.
    ...........................................................

11. Mañana voy a vuestra clase y os llevo los libros.
    ...........................................................

Right answers: ......... out of

### 5. Talking about one's SMS messages.
Put the messages into indirect speech.

0 Mañana voy a tu casa y te llevo el libro de Historia. Julián

1 ¿Dónde está la embajada de Polonia? Marek

2 Tengo una reunión, no puedo verte esta tarde. Isabel

3 ¿Puedes llamar a Pablo? Yo no tengo su teléfono. Jesús

4 Esta tarde voy a un concierto de piano. ¿Vienes? Cristina

5 Mañana no tienes clase. Ana

0. *Julián dice que mañana viene a mi casa y me trae el libro de Historia.*
1. ...........................................................
2. ...........................................................
3. ...........................................................
4. ...........................................................
5. ...........................................................

Right answers: ......... out o

## 6. A postcard from Haruaki.
Change into indirect speech.

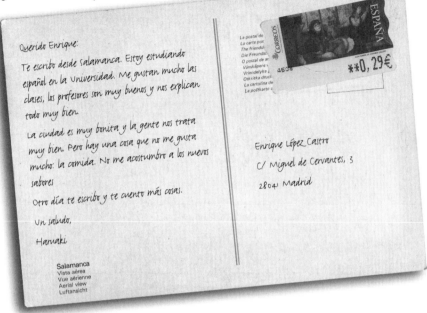

Querido Enrique:

Te escribo desde Salamanca. Estoy estudiando español en la Universidad. Me gustan mucho las clases, los profesores son muy buenos y nos explican todo muy bien.

La ciudad es muy bonita y la gente nos trata muy bien. Pero hay una cosa que no me gusta mucho: la comida. No me acostumbro a los nuevos sabores.

Otro día te escribo y te cuento más cosas.

Un saludo,

Haruaki

Enrique López Castro
C/ Miguel de Cervantes, 3
28041 Madrid

Salamanca
Vista aérea
Vue aérienne
Aerial view
Luftansicht

*Haruaki me escribe desde Salamanca. Me dice que* ..................................................................

........................................................................................................................................................

........................................................................................................................................................

........................................................................................................................................................

........................................................................................................................................................

........................................................................................................................................................

Right answers: ......... **out of 11**

**I AM ALL EARS.** Listen to the dialogue.

- ■ Mira, un correo de Chema.
- ● ¿Y qué dice?
- ■ **Dice que** ahora está en otra empresa, **que** gana más dinero y **que** el trabajo es muy interesante.
- ● ¿Pregunta por mí?
- ■ Sí, me **pregunta si** piensas escribirle algún día.
- ● Oye, si te parece, le escribimos un correo juntas.
- ■ ¿Por qué no?

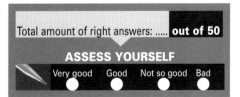

Total amount of right answers: ..... **out of 50**

**ASSESS YOURSELF**

Very good ● Good ● Not so good ● Bad ●

**26**

Look also at unit 22, level A1

51

| FORM | USE |
|------|-----|
| Relative pronouns *que* and *donde*. | Joining clauses providing information about something or somebody or a place. |

¿En qué cine ponen la película **que** me recomendaste ayer?

En el cine **donde** vimos la película de Saura.

## FORM

**General rule:**

Relative clauses are formed with *que* and with *donde*. These words are invariable in gender and number.

La <u>mujer</u> **que** conocí ayer es escritora.
El <u>hombre</u> **que** conocí ayer es escritor.
Las <u>maletas</u> **que** perdí ya han aparecido.
La <u>frutería</u> **donde** compro es muy cara.
El <u>armario</u> **donde** puse las joyas está cerrado con llave.

| Relative clauses | | | |
|---|---|---|---|
| Noun (person, animal or thing) | **+ que** | | La <u>mujer</u> **que** conocí ayer es escritora. Los <u>libros</u> **que** estoy comprando son novelas. |
| | | **+ indicative** | |
| Noun (place) | **+ donde** | | El <u>pueblo</u> **donde** nací está al norte de España. |

## USE

**Relative clauses:**

They are used to provide precise information about something or somebody or about a place.

La chica **que** <u>está hablando con el profesor</u> se llama Carolina.
La casa **<u>donde</u>** <u>vivo</u> no tiene ascensor.

**The relative QUE is used:**

**1.** To identify the person, animal or the thing we are talking about.
- *Los libros son novelas.*
- *¿Qué libros?*
- *Los libros **que** estoy comprando.*

**2.** To define or describe the noun.
- *¿Qué es un flamenco?*
- *Es un pájaro **que** tiene plumas rosas.*

**The relative DONDE is used:**

**1.** To identify the place we are talking about.
- *La semana próxima nos vamos a la playa.*
- *¿A qué playa?*
- *A la playa **donde** veraneamos todos los años.*

**2.** To define or describe a place.
- *¿Qué es un restaurante?*
- *Es un lugar **donde** sirven comidas y bebidas.*

# Exercises

## 1. Relative pronouns *que* and *donde*.

Complete the sentences using *que* or *donde*.

0. El cuchillo .....*que*..... corta bien está en el cajón.
1. La sala ............... estudio música está en el tercer piso.
2. La secretaria ............. lleva la contabilidad no está en su despacho.
3. El apartamento ................. vivo es un poco pequeño.
4. El hotel .................. estuvimos en julio está en la zona de la playa.
5. El conductor ............... provocó el accidente no paró para ayudar.
6. El cocinero ................. trabaja en este restaurante tiene muchos premios internacionales.
7. La empresa ............... trabaja mi padre es una multinacional.
8. La biblioteca ............... están los libros más antiguos es la Nacional.
9. La joven ................. te presenté es la hija del jefe.

Right answers: ......... out of 9

## 2. Relative clauses.

Join the two sentences using *que* or *donde*.

0. Tengo un amigo. Busca trabajo. ..................... *Tengo un amigo que busca trabajo.* ..........
1. He comprado un libro. Es sobre Velázquez. ......................................................................
2. Estuve en una fiesta. Conocí a una chica muy guapa. ......................................................
3. Vi una película. Me gustó mucho. ..................................................................................
4. Conozco un río. Nos podemos bañar. .............................................................................
5. Paco me presentó a un amigo. Es inglés. ........................................................................
6. Estuvimos en una plaza. Hay un monumento muy grande. ...............................................
7. Tengo un libro. Explica la gramática muy bien. ...............................................................
8. Trabajo en una empresa. Hay posibilidades de promoción. ..............................................
9. Leo un periódico. Sale una vez a la semana. ...................................................................
10. Vivo en un país. La gente es muy amable y divertida. .....................................................
11. Conozco un restaurante. Se come muy bien. ...................................................................

Right answers: ......... out of 11

## 3. Describing a place.

Join the two sentences using *donde*.

0. Visité una vieja casa de campo. En esa casa vivieron mis abuelos.
   ........................ *Visité una vieja casa de campo donde vivieron mis abuelos.* ........................
1. Mi hermana trabaja en una farmacia. En esa farmacia venden medicinas naturales.
   ..................................................................................................................................
2. Siempre desayuno en una cafetería del centro. En esa cafetería veo a mucha gente famosa.
   ..................................................................................................................................
3. Mi tía Anunciación vive en una casa con jardín. En el jardín tiene muchas plantas tropicales.
   ..................................................................................................................................
4. Mi abuelo tiene una caja muy antigua. En esa caja guarda fotos de su juventud.
   ..................................................................................................................................
5. Algunos compañeros de clase viven en un barrio. En el barrio no hay metro.
   ..................................................................................................................................
6. El meteorito cayó en la calle. En esa calle vive Alejandro.
   ..................................................................................................................................

Right answers: ......... out of 6

# Exercises

## 4. Relative pronouns quiz.
Tick the correct answer.

0. ¿Cuál es la película de Amenábar ................. más te gustó? ☑ que ☐ donde
1. ¿Me acompañas a la tienda ................. me compré los zapatos de la boda? ☐ que ☐ donde
2. ¿Podemos ver los cuadros ................. te regalaron? ☐ que ☐ donde
3. ¿Vas a ir a la universidad ................. estudiaron tu padre y tu abuelo? ☐ que ☐ donde
4. ¿Cuál es la montaña ................. se perdieron los excursionistas? ☐ que ☐ donde
5. ¿Ese es el perro ................. te mordió en la pierna? ☐ que ☐ donde

Right answers: ......... **out of**

## 5. Giving definitions.
Answer the questions as in the example.

0. ¿Qué es un restaurante? (Un lugar. Sirven comidas y bebidas).
   *Un restaurante es un lugar donde sirven comidas y bebidas.*
   ....................................................................................................................................

1. ¿Qué es un triciclo? (Un vehículo. Tiene tres ruedas, es para niños).
   ....................................................................................................................................

2. ¿Qué es un sacacorchos? (Un objeto. Sirve para abrir botellas).
   ....................................................................................................................................

3. ¿Qué es una gabardina? (Un abrigo. La usamos los días de lluvia).
   ....................................................................................................................................

4. ¿Qué es un adverbio? (Una parte de la oración. Modifica al verbo).
   ....................................................................................................................................

5. ¿Qué es un estanco? (Un lugar. Compramos sellos).
   ....................................................................................................................................

6. ¿Qué son unas castañuelas? (Un objeto de música. Sirven para tocar y bailar canciones populares).
   ....................................................................................................................................

Right answers: ......... **out of**

## 6. Defining professions.
Match the columns and complete the definitions as in the example.

0. Carpintero.  a. Atiende a los pasajeros de un avión. ...............................................................
1. Profesor.    b. Prepara la comida. ...............................................................
2. Médico.      c. Conduce aviones. ...............................................................
3. Veterinario. d. Cuida y vigila un edificio. ...............................................................
4. Abogado.     e. Cura a los animales. ...............................................................
5. Traductor.   f. Defiende a sus clientes en los juicios. ...............................................................
6. Cocinero.    g. Dibuja los planos de las casas. ...............................................................
7. Arquitecto.  h. Enseña en un colegio. ...............................................................
8. Piloto.      i. Hace muebles. *El carpintero es la persona que hace muebles.*
9. Portero.     j. Trabaja en un hospital. ...............................................................
10. Azafata.    k. Traduce textos de una lengua a otra. ...............................................................

Right answers: ......... **out of**

## 7. At the circus.

Complete the sentences that the ring master says.

Señoras y señores, niños y niñas, bienvenidos al maravilloso mundo del circo, el lugar _donde se cumplen todos sus sueños_. Prepárense para ver a los malabaristas ...............................₁, al mago ...........................₂ y el sombrero ..............................₃, la cuerda a 20 metros de altura ...............................₄, el domador ...............................₅ y, por supuesto, a los payasos ...............................₆ Pero también tenemos animales ...............................₇: las focas ...............................₈, el oso ...............................₉, el tigre ...............................₁₀ o el elefante ...............................₁₁ . Entren al circo, señores, entren.

domador

oso

focas

payasos

malabaristas

elefante

tigre

cuerda

mago

a. donde se cumplen todos sus sueños
b. que juegan con las pelotas
c. que va en bicicleta
d. donde todo vuelve a aparecer
e. que hacen las mismas cosas que las personas
f. que nos hacen reír a todos
g. que hace desparecer cualquier cosa
h. que no tiene miedo a los leones
i. que pasa por un círculo de fuego
j. donde va a caminar nuestro equilibrista
k. que hacen juegos malabares
l. que juega con su trompa

Right answers: ........ **out of 11**

---

🎧 **I AM ALL EARS.** Listen to the dialogue.

52

**Profesor:** ¿Tenéis alguna pregunta antes de leer el texto?
**Alumna:** Si, ¿qué es un *kiosco*?
**Profesor:** Es un lugar **donde** puedes comprar periódicos y revistas.
**Alumna:** Gracias.
**Profesor:** ¿Más preguntas?
**Alumno:** Sí. ¿Qué son unas *zapatillas*?
**Profesor:** Son zapatos **que** se usan para estar en casa.
**Alumno:** Gracias.
**Profesor:** ¿No hay más preguntas? Tenéis quince minutos para responder a las preguntas **que** están al final del texto.

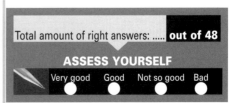

Total amount of right answers: ..... **out of 48**

**ASSESS YOURSELF**

Very good   Good   Not so good   Bad

# Components:
# Time clauses

**27**

| FORM | USE |
|------|-----|
| *Antes de* and *después de* + infinitive. *Desde que* + indicative and *desde hace* + period of time. | Indicating the moment when an event takes place. |

53

**Antes de** vivir aquí, ¿dónde vivías?

**Desde que** llegué a la ciudad, hace cuatro años, siempre he vivido aquí.

## FORM

| Time clauses | | |
|------|------|------|
| **Antes de** + infinitive | | *Siempre me ducho **antes de** acostarme.* |
| **Después de** + infinitive | | *Leo el periódico **después de** desayunar.* |
| **Desde** | **+ que** + indicative | *Te estoy buscando **desde que** llegué.* |
| | **+ hace** + period of time | *Trabajo aquí **desde hace** dos meses.* |

## USE

### Antes de + infinitive:

**1.** It presents an action as previous to another.
*Antes de empezar a trabajar, me tomo dos cafés.*

**2.** The subject is the same for both clauses.
*Siempre me ducho (yo) **antes de** acostarme (yo).*

### Después de + infinitive:

**1.** Presents an action as subsequent to another.
*Después de casarnos, nos fuimos a vivir a Chile.*

**2.** The subject is the same for both clauses.
*Leo el periódico (yo) **después de** desayunar (yo).*

### Desde:

**1.** With *que* it presents an action as the beginning of another.
*Desde que te fuiste no he dejado de pensar en ti.*

**2.** With *hace* it expresses duration of an action beginning in the past.
*Estudio español **desde hace** un año.*

**3.** *Desde hace* + period of time can also be expressed as *hace* + period of time + *que*.
*Trabajo aquí **desde hace** dos meses.*
= ***Hace** dos meses **que** trabajo aquí.*

# Exercises

## 1. Using *después de.*
Change the sentences as in the example.

0. Termino el trabajo y me acuesto.     *Después de terminar el trabajo, me acuesto.*
1. Hicimos la paella y nos sentamos a comer. .............................................................
2. Compro unas frutas y me voy a casa. .............................................................
3. Ceno y leo el periódico. .............................................................
4. Habló con ella y empezó a llorar. .............................................................
5. Sale de clase y va a trabajar. .............................................................
6. He visto la foto y lo he reconocido. .............................................................
7. He lavado la ropa y la he planchado. .............................................................

Right answers: ......... **out of 7**

## 2. Using *antes de.*
Change the sentences as in the example.

0. Tómate esta pastilla y vete a la cama.     *Antes de irte a la cama, tómate esta pastilla.*
1. Ordena tu habitación y ve la tele. .............................................................
2. Poneos un abrigo y salid a la calle. .............................................................
3. Lee la receta y prepara este plato. .............................................................
4. Cambiad las sábanas y haced vuestras camas. .............................................................
5. Pregunta si hay habitaciones libres y haz una reserva. .............................................................
6. Compra varios botes de pintura y pinta el salón. .............................................................
7. Poned el nombre y dadme el examen. .............................................................

Right answers: ......... **out of 7**

## 3. *Desde hace* or *desde que*?
Complete the sentences using one of these.

0. Siempre llego más temprano ..*desde que*.... tengo moto.
1. No sé nada de Pedro ....................... varios meses.
2. Estoy buscando las llaves ....................... llegué de la calle.
3. Trabaja en el proyecto ....................... entró en la empresa.
4. Creo que me está esperando en casa ....................... horas.
5. Vive en el extranjero ....................... tiempo.
6. ....................... se ha levantado, no se encuentra bien.
7. Se separaron definitivamente ....................... supieron la verdad.
8. He perdido la conexión a Internet ....................... dos días.

Right answers: ......... **out of 8**

## 4. Another way of saying it.
Change the sentences as in the example.

0. Estoy aquí desde hace dos horas.                     *Hace dos horas que estoy aquí.*

1. Estoy viendo la televisión desde hace una hora. .............................................................

2. Observo lo que pasa en la casa desde hace tiempo. ..................................................

3. Estás comiendo desde hace dos horas. ............................................................

4. Estoy trabajando desde hace mucho tiempo. ....................................................

5. Está muy mal desde hace unos días. ...............................................................

Right answers: ......... **out of 5**

## 5. The right time clause for each situation.
Underline the correct option.

0. **Hace** / **Desde hace** cinco años que no le veo.

1. Estudio ruso **hace** / **desde que** llegué a Moscú.

2. Estoy ordenando el despacho **desde que** / **desde hace** más de tres horas.

3. Siempre me lavo lo dientes **antes de** / **desde que** acostarme.

4. Trabajo de camarero **desde que** / **desde hace** cinco años.

5. Sé conducir **desde que** / **desde hace** tengo veinte años.

6. No puedo dormir **desde que** / **desde hace** tres noches.

7. Podemos ir al cine **después de** / **desde que** cenar.

8. Estudia inglés **desde hace** / **desde que** salió de la escuela primaria.

9. **Antes de** / **Desde que** entrar en casa, recoge el correo de su buzón.

Right answers: ......... **out of** '

## 6. One thing at time.
Match the columns.

| | |
|---|---|
| 0. Hace | a. estar aquí varios días, se fue a ver a sus padres. |
| 1. Desde hace | b. llegué, estoy trabajando. |
| 2. Desde | c. que nos vimos la última vez, no es el mismo. |
| 3. Antes de | d. tiempo que no lo veo. |
| 4. Desde que | e. tres horas te estoy esperando. |
| 5. Después de | f. venir, hice la compra. |

Right answers: ......... **out of**

## 7. Time clauses quiz.
Tick the correct option.

0. Nunca me acuesto inmediatamente ................. cenar.

   ☐ desde hace      ☐ hace      ☑ después de      ☐ desde que

1. Vivo en este apartamento ................. llegué a Barcelona.

   ☐ desde hace      ☐ hace      ☐ después de      ☐ desde que

2. ................. un momento que se ha ido. Vuelva usted mañana.

   ☐ Desde hace      ☐ Hace      ☐ Después de      ☐ Antes de

3. Es un examen muy importante, así que leed bien las preguntas ................ responderlas.

   ☐ desde hace    ☐ hace    ☐ después de    ☐ antes de

4. ¡Hola, Juan! No nos vemos ................ dos años por lo menos.

   ☐ desde hace    ☐ hace    ☐ después de    ☐ desde que

5. No ha llovido ................ empezó el año.

   ☐ desde que    ☐ desde hace    ☐ antes de    ☐ después de

6. Me gusta ver una película en DVD todas las tardes ................ comer.

   ☐ desde hace    ☐ hace    ☐ después de    ☐ desde que

7. Se ha perdido. Se fue de excursión a la montaña y no ha llamado ................ cuatro horas.

   ☐ desde que    ☐ desde hace    ☐ después de    ☐ hace

**Right answers:** ........ **out of 7**

## 8. "Revive" a good product.

Complete this interview with expressions from the box.

| desde hace | antes de | <u>hace</u> | desde que | después de |
|---|---|---|---|---|

**Entrevistador:** *Revive* es un complejo de vitaminas que le ayuda a estar mejor. Con *Revive* se nota la diferencia, ¿verdad? ¿ ..*Hace*.......$_0$ mucho tiempo que toma *Revive*?

**Entrevistado:** No, solo lo tomo ................$_1$ un mes.

**Entrevistador:** ¿Y nota ya la diferencia?

**Entrevistado:** Sí, claro. .$_2$................ tomar *Revive* estaba siempre cansado. .$_3$................ trabajar no tenía ganas de hacer nada, ni ir al gimnasio, ni jugar con mis hijos...

**Entrevistador:** ¿Y ahora?

**Entrevistado:** .$_4$................ tomo *Revive* me siento mucho mejor, tengo un plus de energía.

**Entrevistador:** Ya lo oye. Mucha gente ya toma *Revive*, y lo nota. Pásese usted también a *Revive*.

**Right answers:** ........ **out of 4**

---

**Í AM ALL EARS. Listen to the dialogue.**

54

MARCOS: Hola, Pepa. ¡Cuánto tiempo sin vernos!
PEPA:     Sí, es verdad, por lo menos **hace** dos o tres años **que** no nos vemos. **Desde que** te fuiste a vivir a Barcelona. ¿Y qué tal te va?
MARCOS: Al principio lo pasé fatal, pero **desde que** me cambié de trabajo **hace** un año, mucho mejor. ¿Y a ti? ¿Cómo te va?
PEPA:     Bastante bien. ¿Recuerdas que trabajaba de cajera en un banco?
MARCOS: Sí, claro.
PEPA:     Pues **después de** estar seis años de cajera y **después de** terminar la carrera y hacer un master ahora soy la subdirectora.
MARCOS: ¿Qué me dices? ¡Cuánto me alegro!

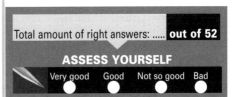

Total amount of right answers: ..... **out of 52**

**ASSESS YOURSELF**

Very good    Good    Not so good    Bad

Components:
# Reason, purpose and result clauses

**28**

Look also at unit 21, level A1

| FORM | USE |
|---|---|
| *Porque, por qué* and *es que* + indicative. *Para* + infinitive. *Así que* + indicative. | Expressing reason, purpose and the result of an action. |

¿**Por qué** no viniste ayer a la reunión?

**Es que** tuve que ir al médico **para** hacerme unos análisis.

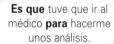

## FORM

**General rule:** **Porque** expresses the reason, **para** expresses the purpose and **así que** expresses the result.

*Estudio español **porque** me gusta.*
*Estudio español **para** ser profesor en mi país.*
*Estudio mucha gramática, **así que** aprendo bien la lengua.*

| The reason clause | |
|---|---|
| **Asking about the cause** | |
| ¿**Por qué?** | ¿**Por qué** te quedas en casa? |
| **Answering and explaining the cause** | |
| **Porque** + indicative | **Porque** tengo que estudiar. |
| **Es que** + indicative | **Es que** tengo que estudiar. |
| **Por** + noun or pronoun | Lo hizo **por** dinero. Lo hizo **por** él. |
| **Como** + indicative | **Como** tengo sueño, me voy a dormir. |
| **The purpose clause** | |
| **Asking about the purpose or the aim of doing something** | |
| ¿**Para qué?** + indicative | ¿**Para qué** llamaste a la profesora? |
| **Answering and explaining the purpose** | |
| **Para** + infinitive | Llamé a la profesora **para** invitarla a la fiesta. |
| **The result clause** | |
| **Expressing the result or the effect of an action** | |
| **Así que** + indicative | Tengo que estudiar, **así que** me quedo en casa. |

### USE

1. Reason clauses express the cause of an action. The most frequent connector is **porque** and it usually goes in the middle of the sentence.
*¿Por qué estás contento? Pues estoy muy contento **porque** me han dado una buena noticia.*

2. **Como** indicates that a certain situation is the cause of something. It always goes at the beginning of the sentence.
***Como** hay una película muy buena en la tele, esta noche no voy a salir.*

3. Purpose clauses express the objective, what one intends to achieve from the action. It also expresses the usefulness of an object.
- *¿Para qué haces las maletas?*
- *¿Para qué es esto?*
- ***Para** irme de viaje.*
- ***Para** abrir latas.*

4. Result clauses express the consequences, the effects of an action.
*No me ha escrito, **así que** no sé cómo está.*

# Exercises

## Reason, purpose and result clauses

### 1. Everything has an explanation.
Match the columns.

0. No has aprobado el examen.
1. ¿Por qué estás tan contenta?
2. ¿Por qué te despiertas siempre tarde?
3. Tienes el pelo muy largo.
4. Vas muy poco a visitar a los abuelos.
5. ¿Por qué no comes algo?
6. ¿Por qué no me dijiste la verdad?
7. Siempre compras el pan aquí.
8. ¿Por qué estás tan triste?

a. Es que no tengo tiempo de ir a la peluquería.
b. Porque no tengo hambre.
c. Porque se ha escapado el loro.
d. Es que viven muy lejos.
e. Es que el profesor es muy exigente.
f. Porque, por fin, he terminado de escribir el libro.
g. Es que aquí tienen mucha variedad de panes.
h. Porque nunca oigo el despertador.
i. Porque podías enfadarte.

Right answers: ......... **out of 8**

### 2. *Como* or *porque?*
Fill in the gaps with one of these words.

0. ......*Ø*...... no te pude mandar el correo ..*porque*.. el ordenador no funcionaba.
1. .............. no tenía tu número de teléfono .............. no pude llamarte anoche.
2. .............. tiene mucho dinero .............. le van muy bien los negocios.
3. .............. estoy bastante cansada .............. no voy a salir esta noche.
4. .............. me voy a tomar una aspirina .............. me duele mucho la cabeza.
5. .............. no ha ido hoy a clase .............. tiene fiebre.
6. .............. me ha tocado la lotería .............. voy a invitar a cenar a toda la clase.

Right answers: ......... **out of 6**

### 3. Everything has a consequence.
Join the sentences using *así que*.

0. Está lloviendo. No salgo de casa hoy.
   *Está lloviendo, así que no salgo de casa hoy.*
1. Ya han venido los invitados. Vamos a comer.
   .................................................................
2. Gastan mucho. Nunca tienen dinero.
   .................................................................
3. Algo tienen que ocultar. Se ven en secreto.
   .................................................................
4. Va a muchos médicos. Debe de estar enfermo.
   .................................................................
5. Los chicos tienen sed. Voy a hacer una limonada.
   .................................................................
6. Hace mucho tiempo que no lo veo. No lo voy a reconocer.
   .................................................................
7. Habla muy deprisa. No lo entiendo.
   .................................................................
8. No estudia gramática. Comete muchas faltas.
   .................................................................
9. No trabajó bastante. Suspendió el curso.
   .................................................................
10. Es muy simpático. Tiene muchos amigos.
    .................................................................

Right answers: ......... **out of 10**

## 4. Cause or consequence?

Complete the sentences using *porque* or *así que*.

0. No hay bastante luz, ....*así que*.... no podemos hacer la foto.
1. Tenemos que ir a pie .................. hay una huelga de transportes.
2. No tienen buenas notas .................. no han trabajado bastante.
3. Este coche funciona mejor .................. he cambiado el motor.
4. Le duele mucho la cabeza .................. se va a tomar una aspirina.
5. Lee mucho el periódico .................. conoce toda la actualidad.
6. No vino con nosotros de viaje .................. no tiene dinero.
7. Es muy tarde .................. me voy a casa.
8. Es bastante tímido .................. se pone nervioso rápidamente.
9. Trabaja mucho .................. no tiene tiempo de ir al teatro.
10. No veo nada .................. estoy muy lejos.
11. Me duele un poco la pierna .................. hoy no voy a ir al gimnasio.

Right answers: ......... **out of**

## 5. Everything has a purpose.

Join the sentences as in the example.

0. Está ahorrando. Quiere comprar un coche nuevo.
   *Está ahorrando para comprar un coche nuevo.*

1. Llamé al hotel. Reservé una habitación.
   ......................................................................................

2. Me llamó ayer. Me pidió perdón.
   ......................................................................................

3. He comprado una guitarra. Quiero aprender a tocarla.
   ......................................................................................

4. Ha pedido un crédito al banco. Va a comprarse una casa.
   ......................................................................................

5. Voy al gimnasio. Quiero adelgazar.
   ......................................................................................

6. Necesitas un diccionario. Vas a hacer esta traducción.
   ......................................................................................

7. Llamó al dentista. Pidió una cita.
   ......................................................................................

8. Fui a la biblioteca. Devolví unos libros.
   ......................................................................................

9. Nos reunimos en mi casa. Preparamos la fiesta.
   ......................................................................................

10. He vuelto a la oficina esta tarde. He terminado el informe.
    ......................................................................................

Right answers: ......... **out o**

## 6. Letter to the president.

Fill in the gaps and write true or false next to the sentences below the letter.

| para (3) | como | porque (2) | así que |
|---|---|---|---|

Al presidente de la Comunidad de vecinos de Cavanilles, 32

Estimado Sr. González:

.....*Como*..... todavía no hemos recibido contestación a nuestra anterior carta, nos ponemos de nuevo en contacto con usted ................. expresarle una vez más nuestra oposición a la instalación de la antena de telefonía móvil en nuestro edificio. Estamos en contra, en primer lugar ................. nuestro edificio no tiene la altura suficiente ................. poder instalar este tipo de antenas y ................. dicha instalación puede tener efectos no deseables ................. la salud. ................. si todavía estamos a tiempo, preferimos ver la antena lejos de nuestro tejado.

Atentamente,

Firmado: Comunidad de propietarios

0. ☑ Es la segunda carta que escriben al presidente.
1. ☐ El edificio es muy alto para este tipo de instalación.
2. ☐ No quieren la antena porque puede perjudicar su salud.
3. ☐ Prefieren instalarla lejos.

Right answers: ......... **out of 9**

**I AM ALL EARS.** Listen to the dialogue.

■ ¿**Por qué** no te has comido todavía el pescado?
● **Porque** no me gusta.
■ Pero **para** poder crecer sano y fuerte tienes que comer de todo.
● Pero **es que** está malísimo.
■ Eso no es una excusa. Además **para** poder jugar después de comer con el ordenador tienes que dejar el plato vacío. **Así que** termínalo.

Total amount of right answers: ..... **out of 54**

**ASSESS YOURSELF**

Very good   Good   Not so good   Bad

# COMPETENCIA GRAMATICAL

## Appendix 1

### COMPONENTS

✔ Contrast between the uses of the present perfect and the indefinite past.

---

### PRESENT PERFECT

**1.** To narrate past events happening within an unfinished period of time. It is usually used with expressions like *hoy, esta semana, este mes, este año...*
*Este año **he estudiado** alemán.*

**2.** To narrate very recent past events: *hace un rato, hace cinco minutos, hace una hora...*
***Ha llegado** a casa hace unos minutos.*

**3.** To talk about past experiences and activities without specifying when they took place.
  ● *¿**Has estado** en México alguna vez?*
  ■ *Sí, **he estado** varias veces.*

**4.** To explain that an expected event has taken place. It goes with *ya.*
*Ya **ha empezado** a llover.*

---

### INDEFINITE PAST

**1.** To narrate past events. It is usually used with expressions like *ayer, la semana pasada, el año pasado...*
***Compré** este vestido ayer.*

**2.** To narrate not so recent past events: *hace una semana, hace un año, hace mucho tiempo...*
***Llegó** a Madrid hace un mes.*

**3.** To provide information about events that happened at a precise moment in the past.
*Me **casé** el 20 de mayo de 1990.*

---

If you wish to do further work with contrast of past tenses, we suggest *Tiempo para practicar los pasados.*

## 1. Days, weeks, years...
Put the following expressions under the right column.

0. El lunes pasado
1. Hace diez minutos
2. Esta semana
3. En 2001
4. Hace un momento
5. Anoche
6. El 14 de abril
7. El mes pasado
8. Esta noche
9. Estas navidades
10. Hace cinco años

| Present perfect | Indefinite past |
| --- | --- |
| | *El lunes pasado* |

Right answers: ......... **out of 10**

## 2. Last week in Spanish class..., but this week...
Complete the sentences using the present perfect or the indefinite past.

La semana pasada

0. *Estudiamos.* los usos del pretérito perfecto.
1. Hicimos un examen.
2. La profesora .................... puntual todos los días.
3. Vimos una película.
4. La profesora no .................... con nosotros.
5. Trabajamos con textos periodísticos.

Esta semana

Hemos estudiado los del indefinido.
No .................... ninguno.
No ha llegado puntual siempre.
No .................... ninguna.
Se ha enfado varios días.
.................... con poesías.

Right answers: ......... **out of 5**

## 3. Two friends have done the same things, but at different times.
Complete the sentences using the present perfect or the indefinite past.

0. • ¿ ...*Has ido*... alguna vez a Barcelona (Ir - tú)?
   ○ Sí, .......*fui*....... el año pasado. ¿Y tú?
   • Yo ....*he ido*.... este verano.
1. • ¿................. *El Quijote* (Leer - tú)?
   ○ Sí, lo ................. hace dos años.
   • Pues, yo lo ................. este año.
2. • Ayer ................. la última película de Penélope Cruz (ver - yo).
   • ¿Sí? Pues yo la ................. el sábado.

3. ● ¿................. ya la lotería de Navidad (Comprar - tú)?

   ○ Sí, la ................. la semana pasada.

   ● Yo la ................. esta tarde.

4. ● ¿................. en globo alguna vez (Montar - tú)?

   ○ Sí, ................. en globo hace unos años, en los Pirineos.

   - ● Yo también ................. en globo, pero en los Alpes.

5. ● ¿................. la paella (Probar - vosotros)?

   ○ No, no la ................. nunca.

   ● Pues está buenísima. Yo la ................. ayer. Os la recomiendo.

Right answers: ......... **out of**

## 4. Present perfect or indefinite past?
Match the columns and complete with the right tense.

0. Voy a preparar café, ¿quieres uno?

1. ¿Has estado alguna vez en Sevilla?

2. ¿Puedo llevarme el periódico?

3. ¿Salisteis anoche?

4. ¿Tenéis ya piso?

5. ¿Has comprado ya las entradas?

6. ¿Has reservado el hotel?

7. ¿Hicisteis el examen la semana pasada?

8. ¿Te llamó anoche tu novio?

9. ¿Has venido alguna vez a esta discoteca?

10. ¿Puedo hablar con el director?

11. ¿Fuisteis el domingo al fútbol?

a. Sí, ............ a una discoteca (ir - nosotros).

b. No, gracias. Hace un momento .he tomado. uno (tomar, yo).

c. Sí, lo ................. el viernes (hacer - nosotros).

d. Sí, lo ................. la semana pasada (alquilar - nosotros).

e. Sí y ................. nuestro equipo (ganar).

f. Lo siento, es que todavía no lo ................. (leer - yo).

g. Sí, las ................. ayer (comprar - yo).

h. Sí, ................. hace dos años (estar).

i. No, me ................. esta mañana (llamar - él).

j. Lo siento, no está. ................. hace un momento (Salir - él).

k. Sí, ................. ya varias veces (venir - yo).

l. Sí, esta mañana ................. a la agencia y ................. dos habitaciones (llamar, reservar - yo).

Right answers: ......... **out o**

**5.** **A private detective is investigating the disappearance of José García. Today is June 29. What has he discovered?**

Complete the chart.

| Hoy | Ayer | Este mes | El mes pasado |
|-----|------|----------|---------------|
|     |      | *Ha recibido una carta de París.* |     |

**0.** Recibir una carta

**1.** Estar en Buenos Aires.

**2.** Ir a la ópera.

**3.** Hacer la compra en un supermercado.

**4.** Visitar un museo.

**5.** Sacar de su cuenta 3.000 €.

**6.** Comprar un anillo de oro.

Right answers: ......... **out of 6**

**I AM ALL EARS.** Listen to the dialogue.

■ Anoche te **llamé** por teléfono tres veces. Esta mañana te **he llamado** otra vez y no **has contestado** al teléfono.

● Es que ayer **fue** un día horrible, **tuve** mucho trabajo y **volví** muy tarde. Hoy me **he tomado** el día libre y **he dormido** hasta las 11.

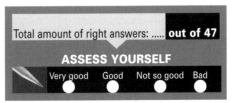

Total amount of right answers: ..... **out of 47**

**ASSESS YOURSELF**

| Very good | Good | Not so good | Bad |
|-----------|------|-------------|-----|
| ○ | ○ | ○ | ○ |

## COMPETENCIA GRAMATICAL

✔ Describing the past.
✔ Talking about past actions.

**Appendix 2**

### COMPONENTS

✔ Contrast between the uses of the present perfect and the past imperfect.

---

### PRESENT PERFECT AND INDEFINITE PAST

**1.** They are used to talk about the events.
*El otro día **fui** a una fiesta y allí **conocí** a un chico. **Hablé** con él durante mucho rato y luego me **llevó** a casa. Esta mañana me **ha llamado** por teléfono.*

**2.** They are used to provide information about actions that were repeated a specific number of times.
*La semana pasada **fui** tres veces al médico.*
*Esta semana **he ido** dos días al cine.*

**3.** It is used to talk about an action which finished at a specific moment in the past.
*Ayer **subí** las escaleras y me **encontré** un billete de 10 euros.* (The note was at the upper end of the stairs).

---

### PAST IMPERFECT

**1.** It is used to describe the circumstances, situations, places, people... that take part in the events.
*El otro día fui a una fiesta. **Había** mucha gente. El sitio **era** muy elegante. Allí conocí a un chico. **Era** muy guapo y **tenía** unos 25 años. Hablé con el durante mucho rato y luego me llevó a casa. Esta mañana me ha llamado por teléfono.*

**2.** It is used to talk about habitual or periodic past actions. It usually goes with expressions of frequency: *siempre, casi siempre, a veces, generalmente, nunca...*
*El año pasado **iba** a clase de 7 a 9. Pero a veces **salíamos** a las 9 y media.*

**3.** It is used to talk about an unfinished action at a specific time in the past.
*Ayer **subía** las escaleras y me encontré un billete de 10 euros.* (The note was half way up the stairs).
In cases like this one we usually use the phrase *estar* + gerund.
*Ayer **estaba subiendo** las escaleras y me encontré un billete de 10 euros.*

---

If you wish to do further work with contrast of past tenses, we suggest *Tiempo para practicar los pasados.*

## 1. Situations and circumstances.

Find the right circumstance in the following box to complete each sentence.

0. Ayer por la tarde ...*me dolía mucho la cabeza*.. y me tomé una aspirina.

1. No me compré el reloj porque .............................................. .

2. Ayer.............................................. y me quedé en la oficina hasta las ocho.

3. El sábado fui a una discoteca, pero no entré porque .............................................. .

4. Anoche .............................................. y me acosté pronto.

5. El verano pasado me fui de vacaciones porque .............................................. .

6. No fui a la fiesta porque .............................................. .

7. El sábado nos quedamos en casa porque .............................................. .

8. Le despidieron del trabajo porque .............................................. .

9. Como .............................................., se fue en autobús a su pueblo.

10. Decidimos ir a la piscina porque .............................................. .

> estaba cansada
> era muy caro
> tenía unos días libres
> tenía mucho trabajo
> no estaba invitada
> <u>me dolía mucho la cabeza</u>
> había demasiada gente
> tenía el coche averiado
> ponían una película muy buena en la tele
> hacía mucho calor
> era muy poco formal

Right answers: ......... **out of 10**

## 2. Actions or circumstances?

Complete the sentences using the past imperfect or indefinite past.

0. Ayer Felipe ...*llegó*.... (llegar) tarde al trabajo porque ...*había*... (haber) mucho tráfico.

1. Los vecinos de arriba ............ (hacer) mucho ruido por las noches y mi padre ............... (decidir) cambiarse de piso.

2. El examen de ayer ............... (tener) muchas preguntas, pero las ............... (hacer - yo) todas bien.

3. Ayer ............... (desayunar - nosotros) en una cafetería porque no ............... (tener - nosotros) leche en casa.

4. Carolina ............... (pasear) por el parque y de repente ............... (empezar) a llover.

5. Ayer me ............... (doler) mucho el estómago y no ............... (comer) nada.

Right answers: ......... **out of 5**

## 3. Repeated or habitual actions?

Complete the sentences using the past imperfect or indefinite past.

0. De joven casi siempre ......*iba*..... (ir - yo) a clase en metro.

1. El año pasado ............... (comer - él) todos los lunes en la universidad.

2. El año pasado ............... (ir - yo) a la universidad en metro.

3. La semana pasada ............... (visitar - yo) dos veces el Museo del Prado.

4. En el colegio ............... (hacer - nosotros) excursiones al campo todos los meses.

5. En su anterior trabajo, mi marido no ............... (salir) nunca antes de las ocho.

6. En mi anterior trabajo, .............. (viajar - yo) más de diez veces al extranjero.

7. Cuando estuve en España, .............. (comer - nosotros) cuatro veces gazpacho.

8. En verano, siempre que íbamos a España, .............. (tomar - nosotros) gazpacho.

9. Yo normalmente .............. (ir) de vacaciones a Barcelona.

10. Por negocios, el año pasado .............. (ir - yo) muchas veces a Barcelona.

Right answers: ........ out of

### 4. Talking about past events.
Match the columns and complete the answers using the past imperfect, indefinite past or present perfect.

0. ¿Por qué no me llamaste anoche?

1. ¿Fuisteis anoche a la fiesta de Andrea?

2. ¿Qué tal el examen de ayer?

3. ¿Quién ganó el partido de fútbol?

4. ¿Por qué no viniste ayer a clase?

5. ¿Os gustó la película?

a. Es que me .............. (doler) mucho una muela y .............. (ir) al dentista.

b. .............. (Estar - yo) nerviosa y no lo .............. (hace - yo) muy bien.

c. Porque mi móvil se ...*quedó*.. (quedar) sin batería y no .............. (haber) ningún teléfono cerca.

d. No .............. (poder - nosotros) verla. .............. (Llegar, nosotros) tarde y ya no .............. (haber) entradas.

e. No. Javier .............. (llegar) muy tarde a casa. .............. (Estar - él) muy cansado y .............. (acostarse, él) pronto.

f. .............. (Ganar) nosotros. Es que .............. (tener - nosotros) un equipo muy bueno.

Right answers: ........ out of

### 5. Hold-up at a pharmacy.
Choose the correct option.

Policía: ¿A qué hora **fue** / era el atraco?
<sub>0</sub>

Farmacéutica: **Fueron** / Eran aproximadamente las once cuando **llegaron** / llegaban los atracadores.
<sub>1</sub> <sub>2</sub>

Policía: ¿Por qué les **abrió** / abría la puerta?
<sub>3</sub>

Farmacéutica: No **noté** / notaba nada raro. **Fueron** / Eran un chico y una chica con un aspecto normal.
<sub>4</sub> <sub>5</sub>

Policía: ¿**Hubo** / Había clientes en la farmacia?
<sub>6</sub>

Farmacéutica: No, **estuve** / estaba yo sola.
<sub>7</sub>

Policía: ¿Se **llevaron** / llevaban solo el dinero o también se **llevaron** / llevaban medicinas?
<sub>8</sub> <sub>9</sub>

Farmacéutica: No, solo el dinero. Afortunadamente **hubo** / había poco dinero en la caja.
<sub>10</sub>

Policía: ¿**Han robado** / robaban otra vez en esta farmacia?
<sub>11</sub>

Farmacéutica: Sí, el año pasado **atracaron** / atracaban la farmacia una noche. La farmacia **estuvo** / estaba cerrada, no **hubo** / había nadie. **Rompieron** / Rompían el cristal de la ventana y **entraron** / entraban.
<sub>12</sub> <sub>13</sub> <sub>14</sub> <sub>15</sub> <sub>16</sub>

Right answers: ........ out o

## 6. The story of the *"Mukusuluba"*.

Put the verbs in brackets into the indefinite past or past imperfect.

Una tarde, el día antes de mi examen, yo .....*estaba*..... (estar) estudiando en mi habitación y de pronto .................. (tener) la sensación de que algo se estaba moviendo en la ventana. En ese momento .................. (volver) la cabeza. ¡Y allí estaba! Lo .................. (invitar) a entrar con la mano. Él .................. (levantarse) despacio y .................. (entrar) en mi habitación. Ese mismo día me di cuenta de que el mukusuluba no .................. (saber) hablar. Yo .................. (empezar) a preguntarle cosas, pero no .................. (responder) nunca. Me dio pena porque .................. (estar) solo en el mundo y le .................. (hacer) un sitio en mi armario. El mukusuluba me miraba con los ojos muy abiertos pero no decía nada. Al día siguiente .................. (abrir) la puerta del armario y .................. (sacar) al mukusuluba. Aparté unos cuadernos que .................. (haber) sobre mi mesa y lo .................. (poner) sobre ella. Acerqué un flan a la mesa y el mukusuluba lo .................. (mirar) un momento y .................. (empezar) a mover su cabeza de un lado a otro. Me .................. (estar) diciendo que no le gustaba. Yo .................. (sentir) una emoción muy grande porque en ese momento .................. (descubrir) que el mukusuluba me entendía.

(Adaptado de Alfredo Gómez Cerdá, *Apareció en mi ventana*, Ediciones SM)

Right answers: ......... **out of 19**

**I AM ALL EARS.** Listen to the dialogue.

58

**Profesora:** Bueno, hoy vamos a practicar en clase los pasados. Y para empezar, vais a contar qué **habéis hecho** el fin de semana. Por ejemplo, tú, Bruno.

**Bruno:** Pues yo el sábado **fui** con unos amigos de excursión a la sierra. Pero no **hacía** buen tiempo y nos **volvimos** pronto a Madrid. Y el domingo, **vino** a casa una compañera de clase para estudiar conmigo. Yo no **entendía** muy bien algunos usos de *por* y *para*, me los **explicó** y ahora creo que ya los entiendo.

**Profesora:** Me parece estupendo. Vamos a verlo mañana en el examen.

Total amount of right answers: ..... **out of 73**

**ASSESS YOURSELF**

Very good    Good    Not so good    Bad

## Tick the right answer.

1. Todas ......... aulas están en el primer piso. ☐ los ☐ las ☐ unos ☐ unas

2. Me duele mucho ........... cabeza. ☐ el ☐ la ☐ una ☐ mi

3. Buenos días, ¿tienen ......... ordenadores portátiles? ☐ los ☐ unos ☐ unas ☐ Ø

4. Me gusta mucho este hotel. Te lo .......... . ☐ recomiendas ☐ recomiendo ☐ recomienda ☐ recomendó

5. Pepe se ......... siempre muy tarde. ☐ acueste ☐ acuesto ☐ acuesta ☐ acuestas

6. Este curso mis compañeros y yo ......... con el mismo profesor. ☐ seguimos ☐ sigamos ☐ sigo ☐ sigáis

7. En el cine siempre me ......... en las primeras filas. ☐ caigo ☐ pongo ☐ salgo ☐ traigo

8. Mi padre ......... 48 años. ☐ es ☐ está ☐ tienes ☐ tiene

9. ¡Qué frío hace! Hoy ......... a - 2°. ☐ somos ☐ estamos ☐ está ☐ es

10. Este libro ......... mío. ☐ es ☐ está ☐ soy ☐ estoy

11. ......... muy contento. He aprobado el examen. ☐ Soy ☐ Estoy ☐ Tienes ☐ Tengo

12. Mi madre es muy mayor. ......... es más joven. ☐ La tuya ☐ La tu madre ☐ Tuya ☐ Madre

13. Nuestra casa es más pequeña que .......... . ☐ de vosotros ☐ la vuestra ☐ la vuestra casa ☐ vuestra

14. Este curso estoy estudiando ......... tú. ☐ más como ☐ tan como ☐ tanto que ☐ más que

15. Álex tiene 20 años; Ana, 18 y Sofía, 16. Álex es ......... de los tres. ☐ el mayor ☐ el más grande ☐ mayor ☐ muy mayor

16. Eduardo mide 1,92 m. Es ......... de la clase. ☐ altísimo ☐ el más alto ☐ muy alto ☐ más alto

17. ......... preguntas del examen son difíciles. ☐ Ninguna ☐ Todas ☐ Ningunas ☐ Algunas

18. ¿Ves algo desde ahí? / No, no veo .......... . ☐ nada ☐ nadie ☐ todo ☐ ningún

19. • ¿Hay televisión en la habitación? ○ Sí, sí ........... hay. ☐ lo ☐ la ☐ Ø ☐ le

20. • ¿Me dejas este libro, por favor? ○ Sí, ......... dejo mañana. ☐ lo ☐ te ☐ te lo ☐ te le

21. Los refrescos están ......... la nevera. ☐ dentro ☐ dentro de ☐ entre ☐ debajo

22. Voy a pie a la oficina porque vivo muy ........... . ☐ cerca ☐ lejos ☐ delante ☐ debajo

23. Mi hija dice la verdad, la conozco ........... . ☐ perfecto ☐ perfecta ☐ perfectamente ☐ de perfecto

24. El alumno respondió ......... y correctamente a todas las preguntas. ☐ rápida ☐ rápidamente ☐ buenamente ☐ bueno

25. El director habla ......... con su secretaria. ☐ mucha ☐ mucho ☐ muy ☐ un poco de

26. Lleva trabajando en ese proyecto ......... meses. ☐ demasiados ☐ demasiado ☐ un poco de ☐ bastante

27. • Hace mucho calor, ¿verdad? ○ ¿......... abrir la ventana? ☐ Tenemos que ☐ Hay que ☐ Podemos ☐ Debemos

28. Necesito un teléfono, por favor. ......... llamar a mi mujer. Es una urgencia. ☐ Tengo que ☐ Vuelvo a ☐ Puedo ☐ Acabo de

29. ......... ver a Jordi en el banco y me ha dicho que trabaja allí desde el mes pasado. ☐ Tengo que ☐ Puedo ☐ Acabo de ☐ Empiezo a